Book One Contents

CW00649281

Foxi, the fox, is hiding throughout the pupil's book.
Here are the numbers of the 12 pages where he is hiding.

1	8	12	14	15	20	24	25	35	44	49	52

NAMES OF SCHOOL CLASSES

Age	England	Scotland	France
5	Reception	P1	Maternelle
6	Year 1	P2	Maternelle
7	Year 2	P3	CP
8	Year 3	P4	CE1
9	Year 4	P5	CE2
10	Year 5	P6	CM1
11	Year 6	P7	CM2
12	Year 7	S1	6ème
13	Year 8	S2	5ème

THE ORAL ACITIVTY

EVERY CHAPTER IN THE BOOK ONE INCLUDES AN ORAL ACTIVITY

In order to complete the activity you need to listen to the CD.
Each track refers to the chapter number in this book.

All the oral activities are indicated by and show a full script.

The songs and their karaoke music tracks are clearly marked.

THE ANSWERS TO THE PUPIL'S BOOK ARE FOUND AT THE BACK OF EACH BOOK.
THE TRANSLATION OF THE SONGS AND RAPS ARE ALSO FOUND AT THE BACK OF THE BOOK.

STARCHART

This can be photocopied and handed out to each child.
When French has been spoken or work completed, initial a box.
After seven initialled boxes, the final piece of good work merits a sticker.
Reward stickers can be bought on-line at **www.skoldo.com**

THE GRADED WORKSHEETS

Each chapter in this book has three worksheets and they are specifically graded.
The 1st worksheet :1 requires little or no written work and is an oral activity.
It is easy, undemanding and ideal whole class work.
The 2nd worksheet :2 requires written work and is more demanding.
It is ideal for the more able children.
The 3rd worksheet :3 requires little written skills as it is puzzle or maths based.
It is ideal for homework or for the less confident writers.

Nom...

Track record for each class using Skoldo Book One

	p1	p2	p4	p5	p7	p8	p9	p11	p12	p14	p15	p16	p17	p19	p21	p22	p24	p25	p26
Class:																			
Class:																			
Class:																			
Class:																			
Class:																			

	p28	p29	p30	p31	p32	p34	p35	p38	p39	p40	p41	p43	p44	p45	p47	p48	p49	p51	p52
Class:																			
Class:																			
Class:																			
Class:																			
Class:																			

Page 1 'les couleurs' - colours

Get Started	## Introduction to the lesson Introduce the greetings « **Bonjour!** » and « **Salut!** » around the class. Teachers says : « Bonjour, Jack » or « Salut! Jack » Jack replies : « Bonjour, Madame(Mrs) Monsieur(Mr) Mademoiselle(Miss) » or « Salut! Madame(Mrs) Monsieur(Mr) Mademoiselle(Miss) » The children can then greet each other. At the end of lesson the teacher says « Au revoir tout le monde (Everyone)» The children reply « Au revoir Madame/ Monsieur/Mademoiselle
Pupil's Book	## Answers to pupil's book This page is self explanatory – the missing colour is **blanc**
1:1 **Whole class activity listening to CD**	## Worksheet 1:1 Go over the colours and numbers with the children. Call out some English words which have a strong colour association and get the children to give you the French colour. eg lemon (jaune) strawberry (rouge) leaf (vert)
1:1 **CD Script** 	## Worksheet 1:1 CD Script **Colorie** (Colour) **la chaussette** (sock) **numéro neuf en rose.** **9 pink** **Colorie** (Colour) **la chaussette** (sock) **numéro quatre en vert.** **4 green** **Colorie** (Colour) **la chaussette** (sock) **numéro six en orange.** **6 orange** **Colorie** (Colour) **la chaussette** (sock) **numéro huit en jaune.** **8 yellow** **Colorie** (Colour) **la chaussette** (sock) **numéro cinq en bleu.** **5 blue** **Colorie** (Colour) **la chaussette** (sock) **numéro sept en rouge.** **7 red**
1:2 **For the more able pupils**	## Worksheet 1:2 This worksheet is straightforward. Make sure the children include the French word for and/**et** in their answers.
	## Worksheet 1:2 Answers Le drapeau anglais **est** blanc **et** rouge. The English flag **is** white **and** red. Le drapeau français **est** bleu, rouge **et** blanc. The French flag **is** blue red **and** white. Le drapeau espagnol **est** rouge **et** jaune. The Spanish flag **is** red **and** yellow.
1:3 **Relaxing activity for everyone**	## Worksheet 1:3 This page is a straightforward word search. Those who enjoy writing can write the French for each colour. For the others, colouring in the symbols will be sufficient.
	## Worksheet 1:3 Answers This page is self explanatory.

✐ Mon nom ....

Colorie les chaussettes.

Colour the socks.

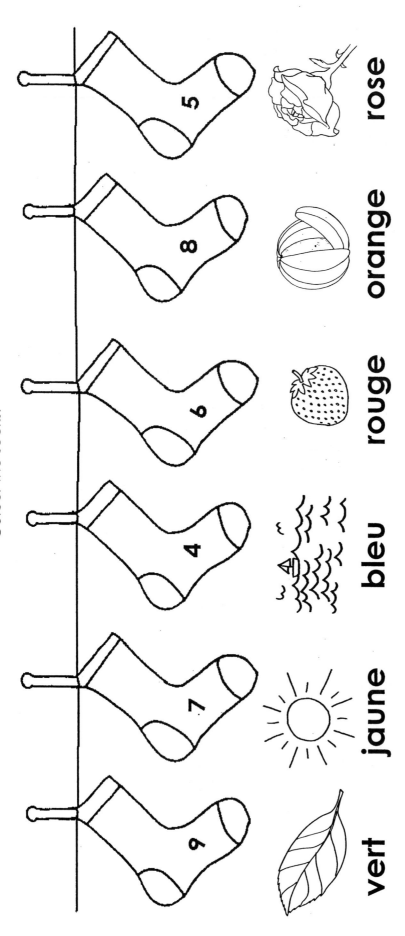

| 5 | 8 | 6 | 4 | 7 | 9 |

| rose | orange | rouge | bleu | jaune | vert |

| six | neuf | cinq | huit | quatre | sept |

© Lucy Montgomery t/a Ecole Alouette 2007. This page may be photocopied for use within the purchasing institution only.

6

Complète et colorie les drapeaux.

Complete and colour the flags.

le drapeau anglais

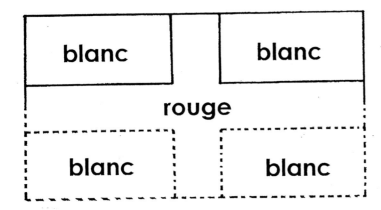

et
and

blanc et rouge

Le drapeau anglais est ....

le drapeau français

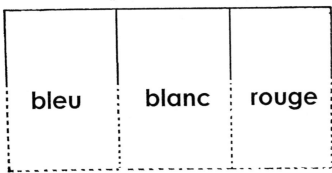

bleu, rouge et blanc

Le drapeau français est ....

le drapeau espagnol

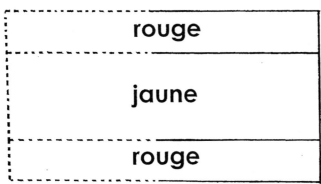

rouge et jaune

Le drapeau espagnol est ....

les couleurs

rouge   bleu   jaune   rose   blanc   vert

j	x	r	o	s	e	c	b
a	h	y	t	r	f	g	v
u	q	w	x	z	d	r	e
n	m	b	l	e	u	o	r
e	j	y	r	q	w	u	t
t	r	v	r	o	t	g	e
b	l	a	n	c	w	e	p
h	g	k	l	p	r	q	d

....

....

Page 2 'les couleurs' - colours

Get Started	**Introduction to the lesson**

Introduce the question "**Ça va?**" (Are you OK/all right?) and its answer
"**Ça va bien** " (I'm fine thanks) around the class.
Teacher asks: "**Ça va** Jack? "   Jack replies :   "**Ça va.**"
The children can then ask each other the same question.

Introduce the question:
"Comment tu t'appelles" /"Comment t'appelles-tu?"
"Je m'appelle ...."

Pupil's Book	**Answers to pupil's book**

This page is self explanatory.

2:1 Whole class activity listening to CD	**Worksheet 2:1**

Introduce the six French vowels **a e i o u y**

These vowels need to be learnt by heart without becoming confused.
On the whiteboard ask the children to write these five vowels down.

1. **i u a o y**   2. **e y u i o**   3. **a i o e u**

2:1 CD Script	**Worksheet 2:1 CD Script**

Exemple: noir   o i   rouge   o u e
          jaune   a u e   vert   e
          violet i o e   bleu   e u
          marron a o   rose   o e
          gris   i   orange   o a e
          blanc   a

2:2 For the more able pupils	**Worksheet 2:2**

This crossword is based on colours.
The arrows tell you whether the answer is ACROSS or DOWN.

Worksheet 2:2 Answers

1↓ vert	4→ marron	7→ jaune	10→ bleu
2→ gris	5↓ orange	8↓ rose	11→ blanc
3↓ rouge	6↓ noir	9→ violet	

2:3 Relaxing activity for everyone	**Worksheet 2:3**

This page is a straightforward word search.
Those who enjoy writing can write the French for each colour.
For the others, colouring in the symbols will be sufficient.

Worksheet 2:3 Answers

This page is self explanatory.

Test Oral/written	**Revision of vocabulary**

1. vert 2. bleu 3. rouge 4. jaune 5. blanc

Ajoute les voyelles (a e i o u y)

Add the vowels

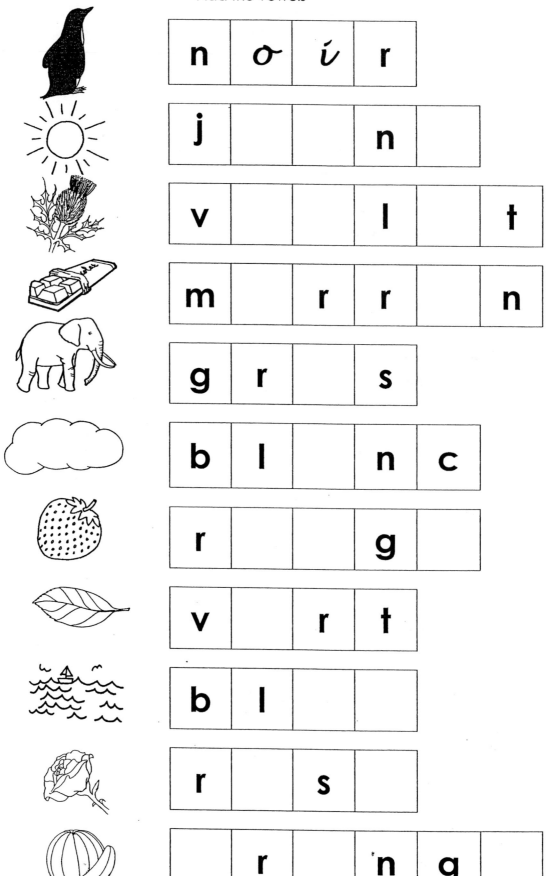

n	o	u	r		

j			n		

v			l		t

m		r		r	n

g	r		s		

b	l		n	c	

r			g		

v		r	t		

b	l				

r		s			

r			n	g	

mots-croisés

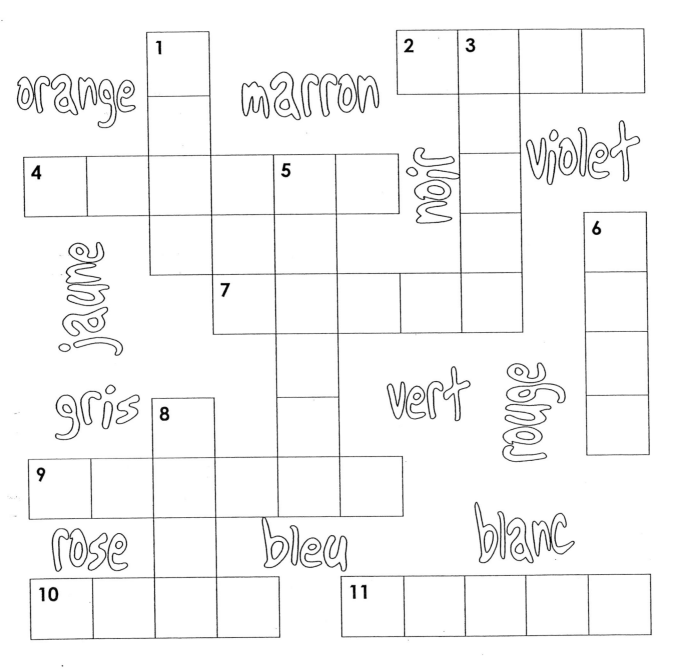

orange   marron   noir   violet

jaune   gris   vert   rouge

rose   bleu   blanc

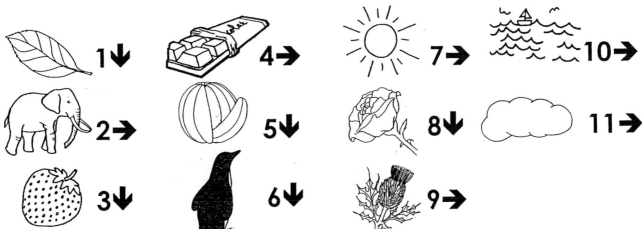

1↓   4→   7→   10→

2→   5↓   8↓   11→

3↓   6↓   9→

les couleurs

violet   marron   orange   noir   gris

o	r	a	n	g	e	v	b
a	h	y	t	r	f	i	n
u	q	m	w	z	d	o	j
n	g	a	b	e	u	l	i
e	r	r	y	q	w	e	c
t	i	r	v	o	t	t	s
b	s	o	a	c	w	l	p
h	g	n	k	n	o	i	r

Meunier, tu dors

Meunier, tu dors
Ton moulin, ton moulin va trop vite
Meunier, tu dors
Ton moulin, ton moulin va trop fort

Ton Moulin, ton moulin va trop vite
Ton moulin, ton moulin va trop fort

Ton Moulin, ton moulin va trop vite
Ton moulin, ton moulin va trop fort

3 🎵 Karaoke version track 53
See page 53 for a translation of this song.

Page 4 'les nombres' - numbers

Get Started	**Introduction to the lesson** Revise "Comment tu t'appelles?" and its answer "Je m'appelle ..." What's your name? I'm called ... Introduce "Quel âge as-tu" and its answer "J'ai ... ans" How old are you? I'm ... Practise counting up to 10 and check the children know which numbers are odd **(impair)** and which are even **(pair)**. **NB** Colours, in French, always come **after** the noun.
Pupil's Book	**Answers to pupil's book** This page is self explanatory.
4:1 **Whole class activity listening to CD**	**Worksheet 4:1** This worksheet revises numbers 1 – 10 and reminds the children that colours, in French, come **after** the noun they describe. Complete the example before continuing with the rest of the page.

Worksheet 4:1 CD Script

Exemple:	Colorie cinq	**chemises rouges.**	Colour five red shirts.
	Colorie sept	**ballons bleus.**	Colour seven blue balls.
	Colorie trois	**livres verts.**	Colour three green books.
	Colorie neuf	**citrons jaunes.**	Colour nine yellow lemons.
	Colorie deux	**papillons violets.**	Colour two purple butterflies.
	Colorie huit	**fleurs roses.**	Colour eight pink flowers.
	Colorie six	**lapins gris.**	Colour six grey rabbits.

4:1 CD Script

4:2 **For the more able pupils**	**Worksheet 4:2** This is a maths sheet. Its aim is to copy the correct spelling of each number in French and then completes the sum. The space above the last number is for the corresponding picture.

Worksheet 4:2 Answers

trois	+	quatre	=	sept	(cat)
deux	x	cinq	=	dix	(fish)
sept	-	six	=	un	(cow)
neuf	-	un	=	huit	(hamster)
dix	-	cinq	=	cinq	(horse)

4:3 **Relaxing activity for everyone**	**Worksheet 4:3** This worksheet is aimed at practising co-ordinates. Look at the co-ordinates and find that square in the grid. Draw the correct symbol in the correct square.

Worksheet 4:3 Answers

This page is self explanatory.

Compte et écris

Count and write – Check the spellings of the colours.
The plural 's' has been added because they describe more than one.

Exemple: Colorie __5__ chemises *rouges.*

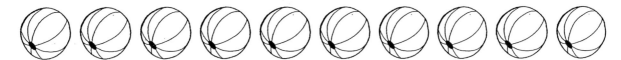

1. Colorie .... ballons *bleus.*

2. Colorie .... livres *verts.*

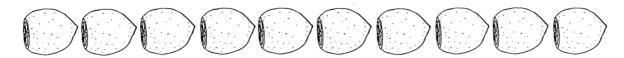

3. Colorie .... citrons *jaunes.*

4. Colorie .... papillons *violets.*

5. Colorie .... fleurs *roses.*

6. Colorie .... lapins *gris.*

Compte, calcule et écris

| un | deux | trois | quatre | cinq | six | sept | huit | neuf | dix |

— — — — — — — — **+** — — — — — — — **=** — — — — — — —

— — — — — — — — **✕** — — — — — — — **=** — — — — —

— — — — — — — **—** — — — — — — **=** — — —

— — — — — — — **—** — — — — — — **=** — — — —

— — — — — — — **—** — — — — — — — **=** — — — — —

Dessine dans les carrés.

Draw in the squares.

Grille (Draw in the squares):

	cinq	huit	un
quatre			
dix			
sept		✓	
trois			
neuf			
six			
deux			

Dessine (Draw)	symbole	dans le carré (in the square)		
Dessine / Draw	✓	dans le carré / in the square	7	8
Dessine / Draw	✗	dans le carré / in the square	2	1
Dessine / Draw	○	dans le carré / in the square	9	5
Dessine / Draw	□	dans le carré / in the square	4	1
Dessine / Draw	Y	dans le carré / in the square	6	5
Dessine / Draw	☺	dans le carré / in the square	10	8
Dessine / Draw	Ⅱ	dans le carré / in the square	3	8
Dessine / Draw	△	dans le carré / in the square	7	5

1	2	3	4	5	6	7	8	9	10
un	deux	trois	quatre	cinq	six	sept	huit	neuf	dix

4:3

Page 5 'les nombres' - numbers

Get Started	## Introduction to the lesson Revise "Comment tu t'appelles?" "Quel âge as-tu?" Practise counting up to 20. Introduce the children to the question: "Combien de ....y a-t-il?" and its answer "Il y en a ...."
Pupil's Book	## Answers to pupil's book This page is self explanatory.
5:1 **Whole class activity** **listening to CD**	## Worksheet 5:1 This worksheet revises numbers 11 – 20 and reminds the children that colours, in French, come after the noun they describe. Check everyone understands what to do before starting.

5:1
CD Script
 	
	## Worksheet 5:1 CD Script
	Ex: *Écris numéro 17 dans le cercle orange.* Write **17** in the **orange** circle.
	   Écris numéro 14 dans le cercle vert. Write **14** in the **green** circle.
	   Écris numéro 12 dans le cercle noir. Write **12** in the **black** circle
	   Écris numéro 15 dans le cercle blanc. Write **15** in the **white** circle
	   Écris numéro 11 dans le cercle rouge. Write **11** in the **red** circle
	   Écris numéro 18 dans le cercle rose. Write **18** in the **pink** circle
	   Écris numéro 20 dans le cercle bleu. Write **20** in the **blue** circle
	   Écris numéro 16 dans le cercle jaune. Write **16** in the **yellow** circle
	   Écris numéro 19 dans le cercle gris. Write **19** in the **grey** circle
	   Écris numéro 13 dans le cercle marron. Write **13** in the **brown** circle

5:2 **For the more able pupils**	## Worksheet 5:2 This worksheet practices the question: Combien de? How many? and the answer: Il y en a ..... There are .... **y a-t-il** (are there) is complicated and difficult to pronounce.
	## Worksheet 5:2 Answers **Exemple: Il y en a huit.** 1. Il y en a onze. 2. Il y en a dix-huit. 3. Il y en a treize. 4. Il y en a vingt. 5. Il y en a quatorze. 6. Il y en a dix-neuf. 7. Il y en a seize. 8. Il y en a douze.
5:3 **Relaxing activity for everyone**	## Worksheet 5:3 This worksheet is a simple maths sheet. Ring the correct number which completes the sum. There is room for the more fluent writers to write the answer in full.
	## Worksheet 5:3 Answers *deux* un trois deux cinq un quatre deux

Mon nom ....

Écoute et écris

11	12	13	14	15	16	17	18	19	20
onze	douze	treize	quatorze	quinze	seize	dix-sept	dix-huit	dix-neuf	vingt

orange 17

vert

noir

blanc

rouge

rose

bleu

jaune

gris

marron

5:1

Réponds aux questions.

11	12	13	14	15	16	17	18	19	20
onze	douze	treize	quatorze	quinze	seize	dix-sept	dix-huit	dix-neuf	vingt

Don't forget the plural 's'

8 x
le
pull

Exemple: Combien de ....*pulls*.... y a-t-il?

Il y en a huit.

11 x
la
glace

1. Combien de ....y a-t-il?

....

18 x
le
crayon

2. Combien de ....y a-t-il?

....

13 x
le
papillon

3. Combien de ....y a-t-il?

....

20 x
la
fleur

4. Combien de ....y a-t-il?

....

14 x
le
citron

5. Combien de ....y a-t-il?

....

19 x
le
livre

. Combien de ....y a-t-il?

....

16 x
la
fraise

7. Combien de ....y a-t-il?

....

12 x
le
hamster

8. Combien de ....y a-t-il?

....

Calcule et écris

13	**14**	**15**	**16**	**17**	**18**	**19**	**20**
treize	quatorze	quinze	seize	dix-sept	dix-huit	dix-neuf	vingt

Écris le bon numéro pour finir le calcul.

Write the correct number to complete the sum.

_2_ + 11 = _13_ ...._treize_..........

.... + 19 = ...

.... + 15 = ...

.... + 17 = ...

.... + 11 = ...

.... + 14 = ...

.... + 13 = ...

.... + 12 = ...

Page 6 'l'alphabet français' – the French alphabet

Get Started	**Introduction to the lesson**
	Remind the children that there are 6 vowels in French - a e i o u y Learning the French alphabet isn't easy so it needs regular revision and practice. See if the children can spell out their names in French. Comment tu t'appelles? What's your name? Comment ça s'écrit? How do you spell that?

Pupil's Book	**Answers to pupil's book** This page is self explanatory.

6:1 **Whole class activity listening to CD**	**Worksheet 6:1** This worksheet covers the whole alphabet. Run through the vocabulary and then sing through the alphabet. The next chapter will help the children with the pronunciation of all the vocabulary words.

6:1
CD Script

Worksheet 6:1 CD Script

A avion	(aeroplane)	**J** jonquille	(daffodil)	**S** soleil	(sun)
B ballon	(ball)	**K** kangourou	(kangaroo)	**T** tomate	(tomato)
C cochon	(pig)	**L** lion	(lion)	**U** univers	(universe)
D drapeau	(flag)	**M** mouton	(sheep)	**V** vache	(cow)
E escargot	(snail)	**N** nounours	(teddy)	**W** wagon	(carriage)
F fraise	(strawberry)	**O** orange	(orange)	**X** xylophone	
G glace	(ice-cream)	**P** pomme	(apple)	**Y** yoyo	(yoyo)
H hérisson	(hedgehog)	**Q** quille	(skittle)	**Z** zèbre	(zebra)
I igloo	(igloo)	**R** renard	(fox)		

6:2 **For the more able pupils**	**Worksheet 6:2** This worksheet aims to help children with their spelling and encourage them to look more closely at French words. The missing letters are found on the right hand side of the page. Write the number of each incomplete word next to its missing letters.

Worksheet 6:2 Answers
Exemple: l'ig**loo**   1. le nou**nours**   2. l'uni**v**ers   3. le mou**ton**
          4. le dra**peau**   5. le kang**ourou**   6. la jonq**ui**lle   7. le z**è****bre**
          8. le li**on**   9. le héri**sson**   10. la po**mme**

6:3 **Relaxing activity for everyone**	**Worksheet 6:3** This worksheet is a picture puzzle. Take the first letter of the French word for each picture and write it on the space available. Each finished word is a name.

Worksheet 6:3 Answers

Lucas   Thomas   Hugo   Lucie   Laura   Sarah

l'alphabet

a — l' avion
b — le ballon
c — le cochon
d — le drapeau
e — l' escargot
f — la fraise
g — la glace
h — le hérisson
i — l' igloo
j — la jonquille
k — le kangourou
l — le lion
m — le mouton

n — le nounours
o — l' orange
p — la pomme
q — la quille
r — le renard
s — le soleil
t — la tomate
u — l' univers
v — la vache
w — le wagon
x — le xylophone
y — le yoyo
z — le zèbre

6:1 Karaoke version track 54

Cherche les lettres et complète le mot.

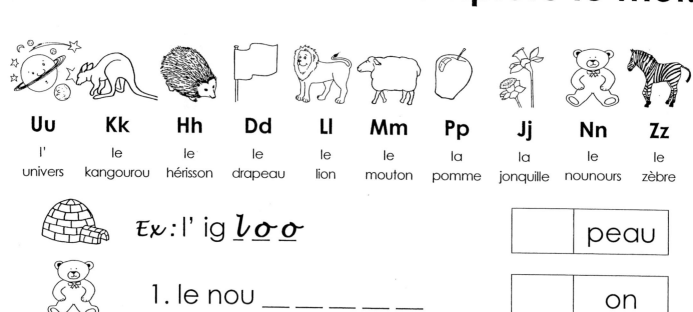

Uu	**Kk**	**Hh**	**Dd**	**Ll**	**Mm**	**Pp**	**Jj**	**Nn**	**Zz**
l' univers	le kangourou	le hérisson	le drapeau	le lion	le mouton	la pomme	la jonquille	le nounours	le zèbre

 *Ex :* l' ig *loo* — peau

1. le nou _ _ _ _ _ _ — on

2. l'uni _ _ _ _ _ — *Ex* | *loo*

3. le mou _ _ _ _ — ille

4. le dra _ _ _ _ _ — bre

5. le kang _ _ _ _ _ _ — vers

6. la jonqu _ _ _ _ _ — sson

7. le zè _ _ _ _ — mme

8. le li _ _ _ — nours

9. le héri _ _ _ _ _ — ourou

10. la po _ _ _ _ — ton

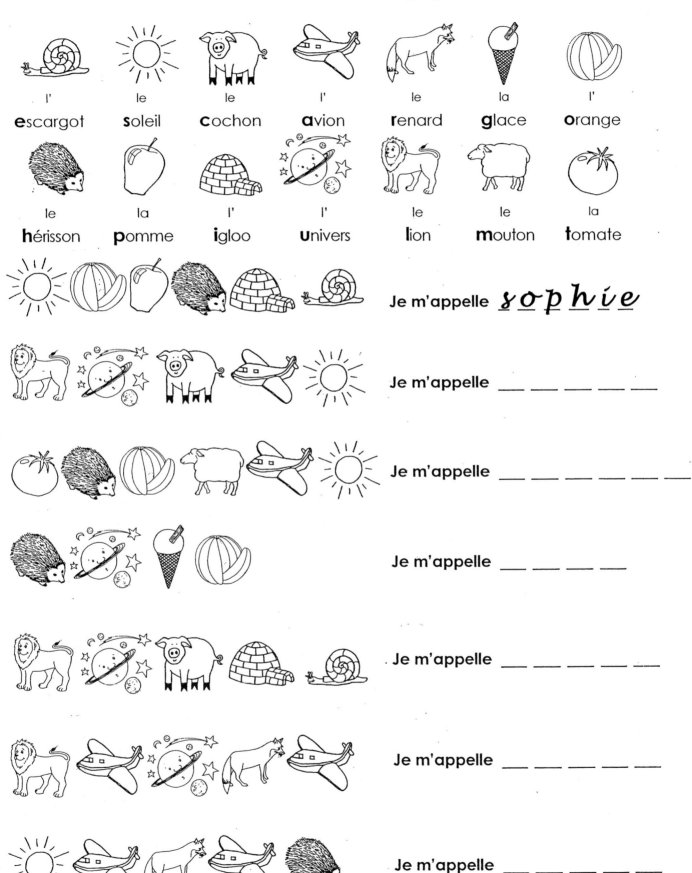

Mon nom ....

Comment tu t'appelles?

l'
escargot

le
soleil

le
cochon

l'
avion

le
renard

la
glace

l'
orange

le
hérisson

la
pomme

l'
igloo

l'
univers

le
lion

le
mouton

la
tomate

Je m'appelle *sophie*

Je m'appelle ___ ___ ___ ___ ___

Je m'appelle ___ ___ ___ ___ ___

Je m'appelle ___ ___ ___ ___

Je m'appelle ___ ___ ___ ___ ___

Je m'appelle ___ ___ ___ ___ ___

Je m'appelle ___ ___ ___ ___ ___

Page 7 'l'alphabet français' – the French alphabet

Get Started	**Introduction to the lesson**
	Revise "Bonjour!" "Ça va?" "Ça va bien" "Comment tu t'appelles?" "Quel âge as-tu?"
	Practise counting up to 20.
	Introduce the children to the question: "Combien de .... y a-t-il?" and its answer "Il y en a ...."

Pupil's Book	**Answers to pupil's book**
	This page is self explanatory.

7:1 Whole class activity listening to CD	**Worksheet 7:1**
	This worksheet covers the whole alphabet.
	Take your time and help the children find the correct picture by giving them the English translation if they are stuck.

7:1 CD Script	**Worksheet 7:1** CD Script

Worksheet 7:1 CD Script

A avion	(aeroplane)	**J** jonquille	(daffodil)	**S** soleil	(sun)
B ballon	(ball)	**K** kangourou	(kangaroo)	**T** tomate	(tomato)
C cochon	(pig)	**L** lion	(lion)	**U** univers	(universe)
D drapeau	(flag)	**M** mouton	(sheep)	**V** vache	(cow)
E escargot	(snail)	**N** nounours	(teddy)	**W** wagon	(carriage)
F fraise	(strawberry)	**O** orange	(orange)	**X** xylophone	
G glace	(ice-cream)	**P** pomme	(apple)	**Y** yoyo	(yoyo)
H hérisson	(hedgehog)	**Q** quille	(skittle)	**Z** zèbre	(zebra)
I igloo	(igloo)	**R** renard	(fox)		

7:2 For the more able pupils	**Worksheet 7:2**
	This worksheet aims to help children with their spelling and encourage them to look more closely at French words.
	The missing letters are found on the right hand side of the page.
	Write the number of each incomplete word next to its missing letters.

Worksheet 7:2 Answers

Exemple: le bal**lon**	1. la **g**lace	2. le co**ch**on	3. l'escar**got**
4. la to**mate**	5. le sol**eil**	6. l'or**ange**	7. l'av**ion**
8. le ren**ard**	9. la va**che**	10. la fr**aise**	

7:3 Relaxing activity for everyone	**Worksheet 7:3**
	This worksheet is a picture puzzle.
	Take the first letter of the French word for each picture and write it on the space available. Each finished words are French numbers and colours.

Worksheet 7:3 Answers

douze 12   vingt 20   neuf 9   jaune yellow   violet purple   marron brown

✎ Mon nom ....

l'alphabet français

a b
c d
e f
g h
i j
k l
m n
o p
q r
s t
u v
w x
y z

7:1

Cherche les lettres et complète le mot.

Look for the letters and complete the word.

Aa	Cc	Ee	Ff	Gg	Oo	Rr	Ss	Tt	Vv
l'avion	le cochon	l'escargot	la fraise	la glace	l'orange	le renard	le soleil	la tomate	la vache

 Ex : le ball _o n_ | | got |

 1. la gl _ _ _ _ | | aise |

 2. le co _ _ _ _ _ | Ex | *on* |

 3. l'escar _ _ _ _ | | ange |

 4. la to _ _ _ _ _ | | nard |

 5. le sol _ _ _ _ | | che |

 6. l'or _ _ _ _ _ | | ace |

 7. l'av _ _ _ _ | | mate |

 8. le re _ _ _ _ _ | | ion |

 9. la va _ _ _ _ | | chon |

 10. la fr _ _ _ _ _ _ | | eil |

Cherche les nombres et les couleurs.

l'
escargot

la
fraise

l'
éléphant

l'
avion

le
renard

la
glace

l'
orange

la
tomate

la
vache

le
zèbre

le
drapeau

l'
igloo

le
nounours

la
jonquille

l'
Univers

le
lion

le
mouton

le
ballon

treize | 13 |

Page 8 'un jeu' – a game

Get Started	**Introduction to the lesson**
	Revise the French alphabet and colours.

Pupil's Book	**Answers to pupil's book**
	This page is self explanatory.

8:1 Whole class activity listening to CD	**Worksheet 8:1**
	This worksheet revises the letters of the alphabet and colours. It may be a good idea to go through the whole alphabet before listening to the CD and completing the exercise. Colour in the squares before starting the game.

8:1 CD Script	**Worksheet 8:1 CD Script**

Ex:	Écris la lettre **v** dans le ballon vert.	Write **V** in the green balloon.
	Écris la lettre **i** dans le ballon rouge.	Write **I** in the red balloon.
	Écris la lettre **u** dans le ballon jaune.	Write **U** in the yellow balloon.
	Écris la lettre **h** dans le ballon marron.	Write **H** in the brown balloon.
	Écris la lettre **o** dans le ballon bleu.	Write **O** in the blue balloon.
	Écris la lettre **j** dans le ballon blanc.	Write **J** in the white balloon.
	Écris la lettre **e** dans le ballon orange.	Write **E** in the orange balloon.
	Écris la lettre **k** dans le ballon violet.	Write **K** in the purple balloon.
	Écris la lettre **a** dans le ballon rose.	Write **A** in the pink balloon.
	Écris la lettre **y** dans le ballon gris.	Write **Y** in the grey balloon.

8:2 For the more able pupils	**Worksheet 8:2**
	This is a written sheet to help the children complete the question **"Combien de ...y a-t-il?"** and its answers **"Il y en a ..."**

Worksheet 8:2 Answers

Combien de **pommes**	y a-t-il?	**Il y en a quatorze.**
Combien de **lions**	y a-t-il?	**Il y en a onze.**
Combien de **cochons**	y a-t-il?	**Il y en a treize.**
Combien de **ballons**	y a-t-il?	**Il y en a dix-huit.**
Combien de **moutons**	y a-t-il?	**Il y en a vingt.**
Combien d' **avions**	y a-t-il?	**Il y en a douze.**
Combien de **renards**	y a-t-il?	**Il y en a seize.**
Combien d' **escargots**	y a-t-il?	**Il y en a quinze.**

Worksheet 8:3

This worksheet is aimed at practising the letters of the alphabet.

8:3 Relaxing activity for everyone	**Worksheet 8:3 Answers**
	S (le soleil/sun) **F** (la fraise/strawberry) **C** (le cochon/pig) **B** (le ballon/ball) **H** (le hérisson/hedgehog) **E** (l'escargot/snail) **M** (le mouton/sheep) **D** (le drapeau/flag) **I** (l'igloo/igloo) **N** (le nounours/teddy) **P** (la pomme/apple) **T** (la tomate/tomato)

un jeu

Écoute bien 👂 et écris la bonne lettre de l'alphabet. ✍

Listen to the CD. Write the correct letter of the alphabet in the correct balloon.

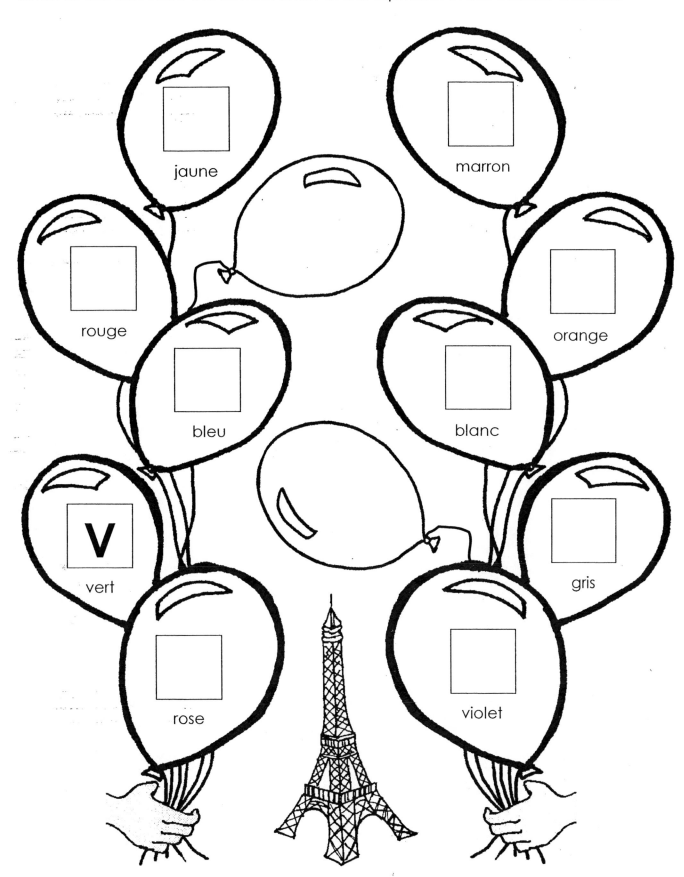

jaune

marron

rouge

orange

bleu

blanc

V

vert

gris

rose

violet

✎ **Mon nom** ....

Réponds aux questions

11	**12**	**13**	**14**	**15**	**16**	**17**	**18**	**19**	**20**
onze	douze	treize	quatorze	quinze	seize	dix-sept	dix-huit	dix-neuf	vingt

10 x
le
zèbre

> Don't forget the plural 's'.

Exemple: Combien de ...*zèbres*... y a-t-il?
How many zebras are there?

Il y en a dix.
There are ten.

14 x
la
pomme

1. Combien de ....y a-t-il?

....

11 x
le
lion

2. Combien de ....y a-t-il?

....

13 x
le
cochon

3. Combien de ....y a-t-il?

....

18 x
le
ballon

4. Combien de ....y a-t-il?

....

20 x
le
mouton

5. Combien de ....y a-t-il?

....

12 x
l'
avion

6. Combien d' ....y a-t-il?

....

16 x
le
renard

7. Combien de ....y a-t-il?

....

15 x
l'
escargot

8. Combien d' ....y a-t-il?

....

✎ Mon nom ....

Write the 12 missing letters of the alphabet in their correct squares.

a b
c d
e f
g h
i j
k l
m n
o p
q r
s t
u v
w x
y z

8:3

Page 9 'les révisions' – revision

9:1 **Whole class activity listening to CD**	**Worksheet 9:1** This worksheet revises questions and answers. Before handing out the sheets, it would be a good idea to go though all the questions and their answers to remind the children of their pronunciation and meaning. Listen to the CD – the answer to each question is given in full and found at the top of the page. Write the letter which goes with each answer in the box next to the question.

9:1 **CD Script** 	**Worksheet 9:1** CD Script

Worksheet 9:1 CD Script

Combien de crayons y a-t-il?	Il y en a onze.	i
Combien de papillons y a-t-il?	Il y en a quatorze.	b
De quelle couleur sont les petits pois?	Les petits pois sont verts.	f
De quelle couleur sont les nuages?	Les nuages sont blancs.	h
De quelle couleur sont les jupes?	Les jupes sont jaunes.	c
De quelle couleur sont les chemises?	Les chemises sont rouges.	g
Quel âge as-tu?	J'ai cinq ans.	e
Quel âge as-tu?	J'ai dix ans.	j
Quel âge as-tu?	J'ai huit ans.	a
Quel âge as-tu?	J'ai neuf ans.	d

9:2 **loto** **(4 games)**	**Worksheet 9:2** *The teacher will need a game sheet as well.* There are four lotto games on this sheet. All the pictures revise the vocabulary learnt so far. Take the top game first and ask the children to circle any five numbers. The teacher reads out the numbers at random and crosses off the numbers as they are read. The winner is the child who has circled the last number to be called out.

9:3 **dice game** **(2 games)**	**Worksheet 9:3** First colour correctly the numbered squares at the bottom of the page. There are two dice games on this sheet. The children can work in pairs, groups or as a whole class. Fold the page in two so only one game can be seen at a time. Throw the dice and colour correctly that numbered square in the picture. If there are two numbers the same in the picture, only colour one. The winner is the one who colours in all the numbers in the picture. The whole picture can be coloured once the game is over.

9:4 **Assessment**	**Worksheet 9:4** This is a simple test to revise the French that has been covered in the last eight chapters. The answers are found on page **9 :5** and the total is out of 33. If a child gets full marks 99% the extra mark needed for 100% can be given for neat presentation.

Écoute et écris

a	huit	c	jaunes	e	cinq	g	rouges	i	onze
b	quatorze	d	neuf	f	verts	h	blancs	j	dix

Ex. Combien de crayons y a-t-il?

Il y en a ...   **i**

1. Combien de papillons y a-t-il?

Il y en a ...

2. De quelle couleur sont les petits pois?

Les petits pois sont...

3. De quelle couleur sont les nuages?

Les nuages sont...

4. De quelle couleur sont les jupes?

Les jupes sont...

5. De quelle couleur sont les chemises?

Les chemises sont...

6. Quel âge as-tu?

J'ai...ans.

7. Quel âge as-tu?

J'ai ... ans.

8. Quel âge as-tu?

J'ai ... ans.

9. Quel âge as-tu?

J'ái ... ans.

loto

1 2 3 4 5 6 7 8 9 10
un deux trois quatre cinq six sept huit neuf dix

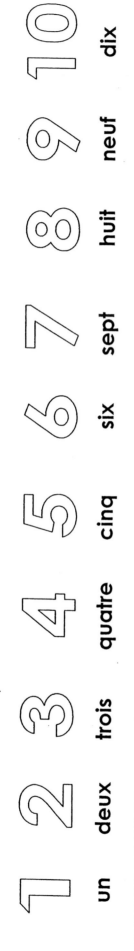

jaune bleu vert marron blanc rouge orange violet noir rose

11 12 13 14 15 16 17 18 19 20
onze douze treize quatorze quinze seize dix-sept dix-huit dix-neuf vingt

jaune bleu vert marron blanc rouge orange violet noir rose

jeu de dé

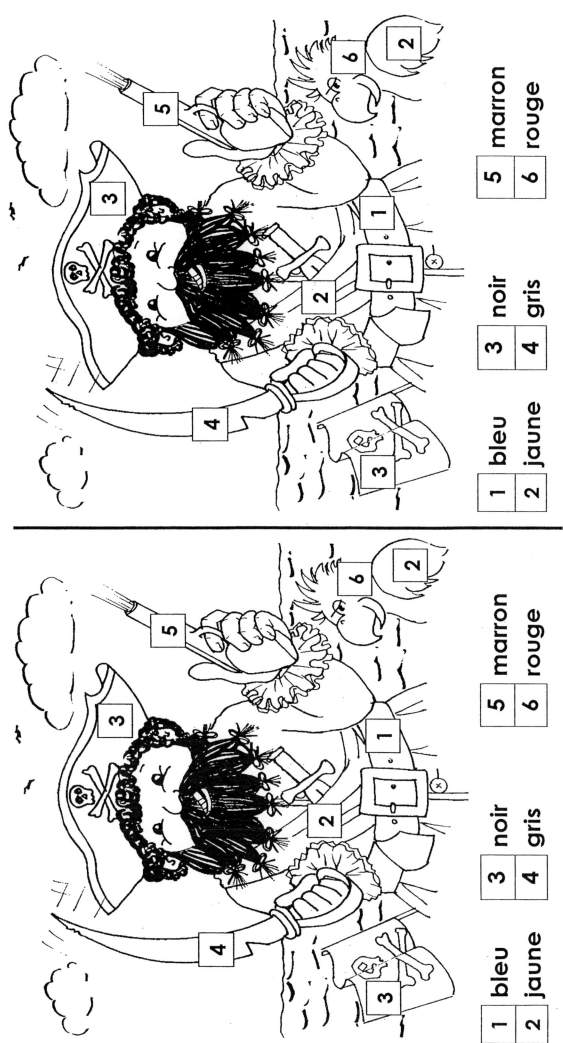

1	bleu	3	noir	5	marron
2	jaune	4	gris	6	rouge

9:3

Bilan
Assessment

Total marks out of **33** [ ] % [ ]
Extra mark for neatness.

1. Write the correct number next to the English colours. [ ] **10**

1	rouge	6	noir
2	marron	7	blanc
3	bleu	8	rose
4	vert	9	orange
5	jaune	10	violet

	black		white
	pink		red
	blue		yellow
	purple		green
	brown		orange

2. Write all the French vowels. [ ] **1**

....

3. There are four French ways of saying '**the**'. [ ] **4**
    Can you name them?

    ....

4. Translate the following questions into English. [ ] **4**

    De quelle couleur?   ....

    Combien de?   ....

5. Write the correct number next to each French word. [ ] **9**
    Circle the odd numbers.

    neuf ....   deux ....   cinq ....

    huit ....   dix ....   quatre ....

    sept ....   un ....   trois ....

6. Write the number of each question next to its answer. [ ] **5**

1	Ça va?		Les pommes sont rouges.
2	Comment tu t'appelles?		Il y en cinq.
3	Quel âge as-tu?		J'ai huit ans.
4	De quelle couleur sont les pommes?		Ça va bien, merci.
5	Combien de fleurs y a-t-il?		Je m'appelle Martin.

9:4

Bilan
Assessment

Total marks out of **33** [ ] % [ ]
Extra mark for neatness.

1. Write the correct number next to the English colours. [ ] **10**

1	rouge	6	noir	**6**	black	**7**	white
2	marron	7	blanc	**8**	pink	**1**	red
3	bleu	8	rose	**3**	blue	**5**	yellow
4	vert	9	orange	**10**	purple	**4**	green
5	jaune	10	violet	**2**	brown	**9**	orange

2. Write all the French vowels. [ ] **1**

a e i o u y

3. There are four French ways of saying '**the**'. [ ] **4**
   Can you name them?

le   la   l'   les

4. Translate the following questions into English. [ ] **4**

De quelle couleur est...?   **What colour is ...?**
Combien de?   **How many?**

5. Write the correct number next to each French word. [ ] **9**
   Circle the odd numbers.

neuf	**9**	deux	**2**	cinq	**5**
huit	**8**	dix	**10**	quatre	**4**
sept	**7**	un	**1**	trois	**3**

6. Write the number of each question next to its answer. [ ] **5**

1	Ça va?	**4**	Les pommes sont rouges.
2	Comment tu t'appelles?	**5**	Il y en cinq.
3	Quel âge as-tu?	**3**	J'ai huit ans.
4	De quelle couleur sont les pommes?	**1**	Ça va bien, merci.
5	Combien de fleurs y a-t-il?	**2**	Je m'appelle Martin.

Answers to
9:4

Bonjour ma cousine

Bonjour ma cousine
Bonjour mon cousin germain
On m'a dit que vous m'aimiez
Est-ce bien la vérité?
Je n'm'en soucie guère x 2
Passez par ici et moi par là
Au-r'voir ma cousine
et puis voilà

See page 53 for a translation of this song.

Page 11 'les vêtements' – clothes

Get Started	**Introduction to the lesson** All nouns, in French, are either **masculine** or **feminine**. This is a difficult concept for an English speaking child to understand. All masculine nouns are shown with **le** (the) BLUE All feminine nouns are shown with **la** (the) RED Words which start with a vowel are shown with **l'** (You cannot tell if these words are masculine or feminine, you just have to learn)
Pupil's Book	**Answers to pupil's book** This page is self explanatory.
11:1 **Whole class activity listening to CD**	**Worksheet 11:1** This worksheet revises the question: "Combien de... y a-t-il?" The spelling and pronunciation of the words **y a-t-il** are difficult. Hopefully, they can be learned by heart and cause no problem.

11:1 **CD Script** 	**Worksheet 11:1 CD Script** Ex: Combien de chemises y a-t-il? Il y en a **16** (seize) How many shirts are there? There are 16 (sixteen). 1. Combien de jupes y a-t-il? Il y en a **17** (dix-sept) 2. Combien de pulls y a-t-il? Il y en a **12** (douze) 3. Combien de robes y a-t-il? Il y en a **18** (dix-huit) 4. Combien de tee-shirts y a-t-il? Il y en a **13** (treize) 5. Combien de moutons y a-t-il? Il y en a **20** (vingt) 6. Combien de pommes y a-t-il? Il y en a **15** (quinze) 7. Combien de lions y a-t-il? Il y en a **11** (onze) 8. Combien de zèbres y a-t-il? Il y en a **19** (dix-neuf) 9. Combien de nounours y a-t-il? Il y en a **14** (quatorze)

11:2 **For the more able pupils**	**Worksheet 11:2** This worksheet aims to revise two questions. Combien de ... y a-t-il? How many ... are there? De quelle couleur est ....? What colour is...?

Worksheet 11:2 Answers
1. Il y en a dix.   2. Il y en a huit.   3. Il y en a cinq.
4. Il y en a quinze.   5. La jupe est jaune.   6. Le jean est bleu.
7. Le pull est vert.   8. La chemise est orange.

11:3 **Relaxing activity for everyone**	**Worksheet 11:3** This is a straightforward colouring exercise. The dotted lines are for labelling the picture if this is needed.

Worksheet 11:3 Answers
This worksheet is self-explanatory.

Écoute et écris

Ex: Combien de chemises y a-t-il? How many shirts are there?

Il y en a [16]   There are sixteen.

1. Combien de jupes y a-t-il?

Il y en a [ ]

2. Combien de pulls y a-t-il?

Il y en a [ ]

3. Combien de robes y a-t-il?

Il y en a [ ]

4. Combien de tee-shirts y a-t-il?

Il y en a [ ]

5. Combien de moutons y a-t-il?

Il y en a [ ]

6. Combien de pommes y a-t-il?

Il y en a [ ]

7. Combien de lions y a-t-il?

Il y en a [ ]

8. Combien de zèbres y a-t-il?

Il y en a [ ]

9. Combien de nounours y a-t-il?

Il y en a [ ]

Écoute et écris

quinze	cinq	orange	douze	huit	rouge	dix	bleu	jaune	vert

x12 *Ex:* Combien de chemises y a-t-il?

Il y en a douze. ....

x10 1. Combien de jupes y a-t-il?

....

x 8 2. Combien de pulls y a-t-il?

....

x 5 3. Combien de robes y a-t-il?

....

x15  4. Combien de tee-shirts y a-t-il?

....

Ex: De quelle couleur (est) la robe?

La robe (est) rouge.

> Don't forget to include **est** (is) in each answer.

5. De quelle couleur est la jupe?

....

 6. De quelle couleur est le jean?

....

7. De quelle couleur est le pull?

....

 8. De quelle couleur est la chemise?

....

Colorie l'image

Mon nom ....

Le pull est rouge.	La jupe est jaune.	Le pyjama est rose et violet.	Le jean est bleu.	Le tee-shirt est vert.

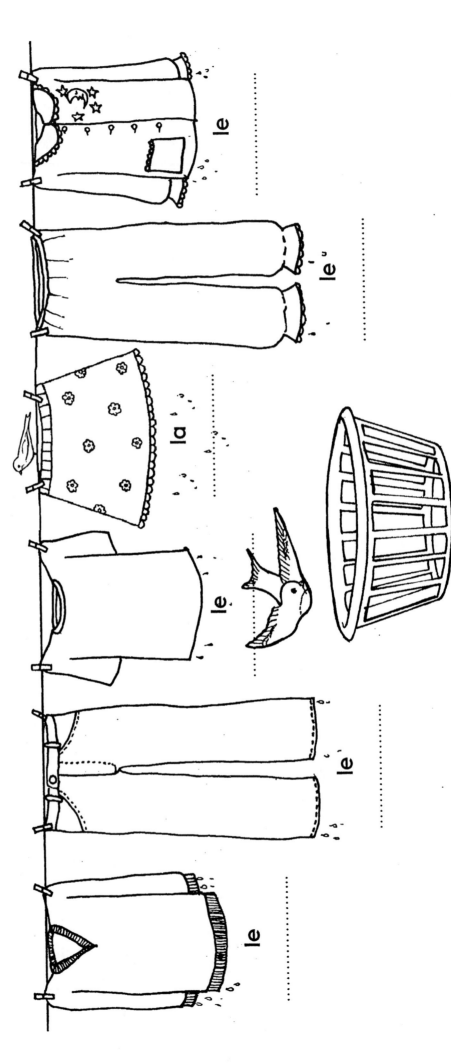

le ....

le ....

le ....

la ....

le ....

le ''............

le ....

© Lucy Montgomery t/a Ecole Alouette 2007. This page may be photocopied for use within the purchasing institution only.

Page 12 'les vêtements' – clothes

Get Started	**Introduction to the lesson** All nouns, in French, are either **masculine** or **feminine**. This is a difficult concept for an English speaking child to understand. Read out some French words and see if the children can tell you whether the words are masculine or feminine. Check the pronunciation of **le** as it is very easy to mispronounce.
Pupil's Book	**Answers to pupil's book** This page is self explanatory.
12:1 Whole class activity listening to CD	**Worksheet 12:1** This worksheet revises clothes, colours and numbers. If the children are going to colour in the clothes it would save time if they added a dot only on each piece of clothing and colour in the picture at the end of the exercise.

12:1 CD Script 	**Worksheet 12:1 CD Script**

1. La robe jaune   est   le numéro douze.   yellow dress   **12**
2. Le jean noir   est   le numéro seize.   black jeans   **16**
3. La chemise rouge   est   le numéro dix.   red shirt   **10**
4. La chaussette rose   est   le numéro dix-huit.   pink sock   **18**
5. La jupe violette   est   le numéro quinze.   purple skirt   **15**
6. Le tee-shirt vert   est   le numéro treize.   green tee-shirt   **13**
7. Le pull orange   est   le numéro quatorze.   orange jumper   **14**

12:2 For the more able pupils	**Worksheet 12:2** This worksheet tests an awareness of the length of words and their meaning. The puzzle can be completed by a process of elimination depending on the number of letters of each French word. The letters in the highlighted boxes combine to create a new word.

Worksheet 12:2 Answers
1. C H A U S S E T T E   2. C H A U S S U R E   3. J U P E
4. P Y J A M A   5. T E E – S H I R T   6. B A S K E T
7. J E A N
Hidden word **C H E M I S E** shirt

12:3 Relaxing activity for everyone	**Worksheet 12:3** Colour correctly the letters of each piece of clothing.

Worksheet 12:3 Answers

la chemise (shirt)	green	la chaussure (shoe)	purple
la jupe (skirt)	yellow	la chaussette (sock)	red
le pull (jumper)	blue	Hidden word : B A S K E T (trainer)	

✎ **Mon nom** ....

Écoute et écris

Listen to the CD and write the correct number in the boxes.

12

La robe jaune est le numéro...	12
Le jean noir est le numéro...	
La chemise rouge est le numéro...	
La chaussette rose est le numéro...	
La jupe violette est le numéro...	
Le tee-shirt vert est le numéro...	
Le pull orange est le numéro...	

Trouve le mot caché

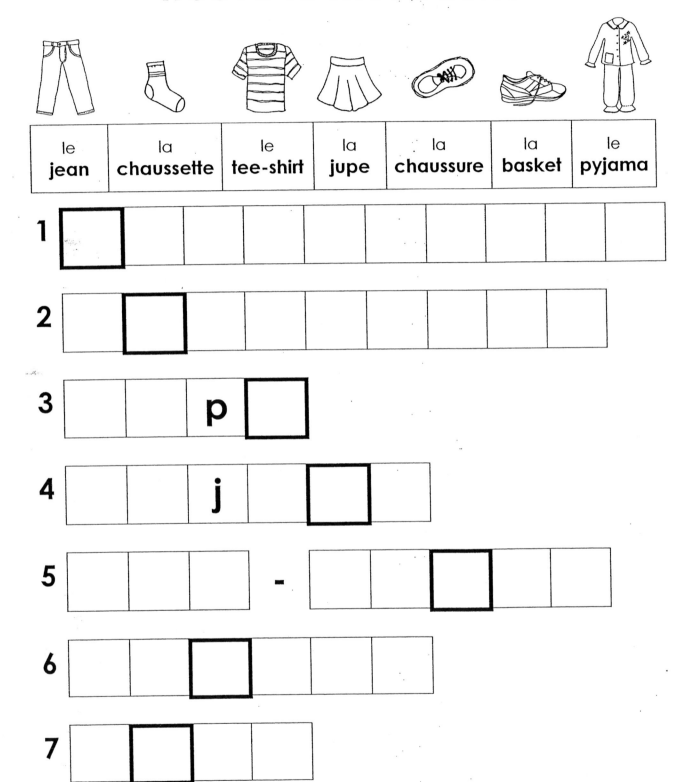

le jean	la chaussette	le tee-shirt	la jupe	la chaussure	la basket	le pyjama

1

2

3   p

4   j

5   -

6

7

le mot caché en français
The hidden word in French

le mot caché en anglais
The hidden word in English

___ ___ ___ ___ ___ ___   ___ ___ ___ ___ ___

Trouve le mot caché

Colour in the letters of the words below found in the snake

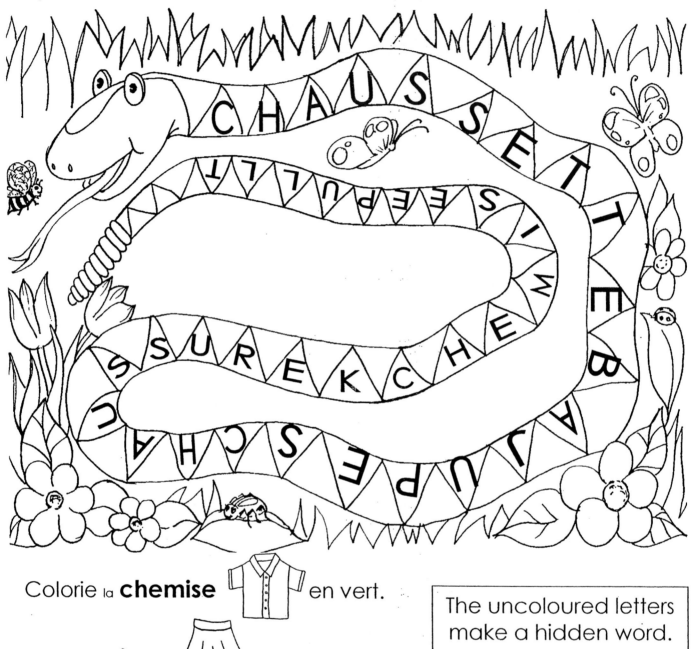

Colorie la **chemise** en vert.

Colorie la **jupe** en jaune.

Colorie le **pull** en bleu.

Colorie la **chaussette** en violet.

Colorie la **chaussure** en rouge.

The uncoloured letters make a hidden word.

Can you find it?

_ _ _ _ _ _ _

Joyeux anniversaire

Joyeux anniversaire
Joyeux anniversaire
Joyeux anniversaire
Joyeux anniversaire

Quel âge as-tu?
Quel âge as-tu?
Quel âge as-tu (Pierre)?
Quel âge as-tu?

Aujourd'hui j'ai (neuf) ans
Aujourd'hui j'ai (neuf) ans
C'est mon anniversaire
Aujourd'hui j'ai (neuf) ans

See page 53 for a translation of this song.

Page 14 'J'ai faim.' – I'm hungry.

Get Started	**Introduction to the lesson**
	With the introduction of food, it is possible to start talking about shopping and asking for things.
	The French for **'some'** is complicated as there are 4 different words for it. For now, just try and learn the word that is printed without needing to know exactly why it is written that way.

Pupil's Book	**Answers to pupil's book**
	This page is self explanatory.

14:1 Whole class activity listening to CD	**Worksheet 14:1**
	This worksheet practises asking for food.
	Listen carefully to each sentence and write the number of the food requested in the box.
	After having listened to the CD track see if the class can ask for the food.

14:1 CD Script	**Worksheet 14:1** CD Script
	Numéro **cinq** (5) J'ai faim, je voudrais **du gâteau**, s'il vous plaît. (cake)
	Numéro **huit** (8) J'ai faim, je voudrais **des bonbons**, s'il vous plaît. (sweets)
	Numéro **deux** (2) J'ai faim, je voudrais **du pain**, s'il vous plaît. (bread)
	Numéro **neuf** (9) J'ai faim, je voudrais **du fromage**, s'il vous plaît. (cheese)
	Numéro **quatre** (4) J'ai faim, je voudrais **une glace**, s'il vous plaît. (ice-cream)
	Numéro **sept** (7) J'ai faim, je voudrais **de la confiture**, s'il vous plait. (jam)
	Numéro **six** (6) J'ai faim, je voudrais **du beurre**, s'il vous plait. (butter)

14:2 For the more able pupils	**Worksheet 14:2**
	Up until this point, the pictures have always been given with the French words to ease understanding.
	This time, the pictures have been left out so more concentration is needed to remember the French for each word.

Worksheet 14:2 Answers

1. violet (purple) 2. jaune (yellow) 3. orange (orange)
4. bleu (blue) 5. noir (black)

14:3 Relaxing activity for everyone	**Worksheet 14:3**
	Battle ships is a good game to play and requires a quiet class!
	When photocopying the sheets of paper, keep a copy for reference.
	Ask the children to look at the top grid and put a cross in any five squares. You then read out the grid references one by one eg **2c, 4a**.
	If a child has a cross in any square referred to, it needs to be crossed out.
	The winner is the person with a cross in the last remaining square.

Worksheet 14:3 Answers

This worksheet is self-explanatory.

Écoute et écris

J'ai faim, je voudrais **du gâteau**, s'il vous plaît.

J'ai faim, je voudrais **de la confiture**, s'il vous plaît.

J'ai faim, je voudrais **du beurre**, s'il vous plaît.

J'ai faim, je voudrais **des bonbons**, s'il vous plaît.

J'ai faim, je voudrais **une glace**, s'il vous plaît.

J'ai faim, je voudrais **du fromage**, s'il vous plaît.

J'ai faim, je voudrais **du pain**, s'il vous plaît.

5

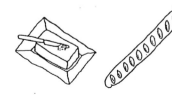 

du (some)	du (some)	de la (some)	du (some)	du (some)	des (some)	une (a)
beurre	pain	confiture	gâteau	fromage	bonbons	glace

Trouve les lettres et écris les mots.

Write the first letter of each French word represented by the pictures.

le vocabulaire		l' igloo	le nounours	la tomate
l' avion	l' escargot	la jonquille	l' orange	l' univers
le ballon	la glace	le lion	le renard	la vache

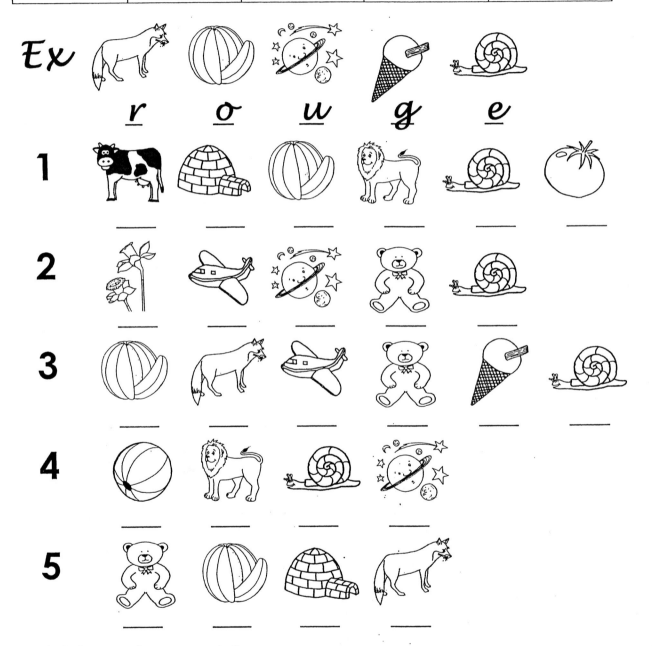

Ex   r   o   u   g   e

1

2

3

4

5

Traduis les mots en anglais.   Translate the words into English.

Ex _____red_____   3. ....

1. ....   4. ....

2. ....   5. ....

bataille navale

battle ships

	a	b	c	d
1				
2				
3				
4				

	a	b	c	d
1				
2				
3				
4				

Page 15 'J'ai faim.' – I'm hungry.

Get Started	**Introduction to the lesson** Explain that the plural for **the**, in French, is always **les**. la frite (chip) **les** frites (chips) l'oeuf (egg) **les** oeufs (eggs) le pull (jumper) **les** pulls (jumpers)
Pupil's Book	**Answers to pupil's book** This page is self explanatory.
15:1 **Whole class activity listening to CD**	**Worksheet 15:1** This worksheet practises asking for food in a similar way to Page 14. Listen carefully to each sentence and write the number associated with the sentence in the box. Having listened to the CD track, practise asking for food.
15:1 **CD Script** 	**Worksheet 15:1 CD Script** Numéro 6 Bonjour, Madame, je voudrais **du beurre**, s'il vous plaît. (butter) Numéro 10 Bonjour, Madame, je voudrais **de la confiture**, s'il vous plaît.(jam) Numéro 7 Bonjour, Madame, je voudrais **du pain**, s'il vous plaît. (bread) Numéro 4 Bonjour, Mademoiselle, je voudrais **des frites**, s'il vous plaît.(chips) Numéro 14 Bonjour, Mademoiselle, je voudrais **du fromage**, s'il vous plaît. (cheese) Numéro 12 Bonjour, Mademoiselle, je voudrais **du lait**, s'il vous plaît. (milk) Numéro 16 Bonjour, Monsieur, je voudrais **des pâtes**, s'il vous plaît. (pasta) Numéro 13 Bonjour, Monsieur, je voudrais **du miel**, s'il vous plaît. (honey) Numéro 15 Bonjour, Monsieur, je voudrais **des oeufs,**, s'il vous plaît. (eggs)
15:2 **For the more able pupils**	**Worksheet 15:2** This exercise checks that the children understand the difference between **le** (masculine/blue) and **la** (feminine/red). Check in the vocabulary section to see if a word is (m) or (f). Write the correct French word for **the** on the dotted line and colour in the little square correctly **le** (blue) and **la** (red).

Worksheet 15:2 Answers

la basket **(red)**	**le** pull **(blue)**	**le** miel **(blue)**
le beurre **(blue)**	**l'** oeuf **(blue)**	**la** robe **(red)**
le yaourt **(blue)**	**le** pantalon **(blue)**	**la** chaussette **(red)**
le fromage **(blue)**	**le** pain **(blue)**	**la** confiture **(red)**
la jupe **(red)**	**la** chaussure **(red)**	**le** jean **(blue)**

15:3 **Relaxing activity for everyone**	**Worksheet 15:3** Cut out the food and stick it on the silhouettes. Label, if time.
	Worksheet 15:3 Answers This worksheet is self-explanatory.

Écoute bien et écris les chiffres

Listen carefully and write the correct number next to the correct sentence.

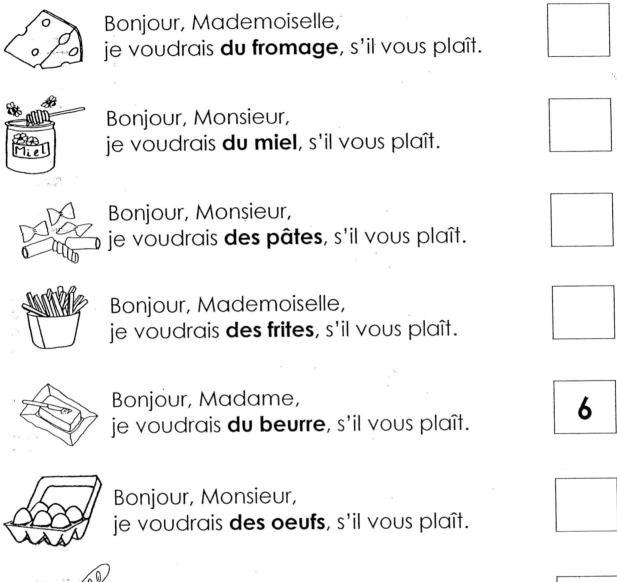

Bonjour, Mademoiselle,
je voudrais **du fromage**, s'il vous plaît.

Bonjour, Monsieur,
je voudrais **du miel**, s'il vous plaît.

Bonjour, Monsieur,
je voudrais **des pâtes**, s'il vous plaît.

Bonjour, Mademoiselle,
je voudrais **des frites**, s'il vous plaît.

Bonjour, Madame,
je voudrais **du beurre**, s'il vous plaît.   6

Bonjour, Monsieur,
je voudrais **des oeufs**, s'il vous plaît.

Bonjour, Madame,
je voudrais **du pain**, s'il vous plaît.

Bonjour, Madame,
je voudrais **de la confiture**, s'il vous plaît.

Bonjour, Mademoiselle,
je voudrais **du lait**, s'il vous plaît.

les vêtements et la nourriture

Add le, la or l' in front of each word and colour the little square red if the word is feminine and blue if it is masculine.

le vocabulaire

... **basket** (f) the trainer	... *chemise* (f) the shirt	... **jupe** (f) the skirt	... **pantalon** (m) the(pair of)trousers
... **beurre** (m) the butter	... **confiture** (f) the jam	... **miel** (m) the honey	... **pull** (m) the jumper
chaussette (f) the sock	... **fromage** (m) the cheese	... **oeuf** (m) the egg	... **robe** (f) the dress
... **chaussure** (f) the shoe	... **jean** (m) the(pair of)jeans	... **pain** (m) the bread	... **yaourt** (m) the yoghurt

red

la chemise

.... **basket**

.... **beurre**

.... **yaourt**

.... **fromage**

.... **jupe**

.... **pull**

.... **oeuf**

.... **pantalon**

.... **pain**

.... **chaussure**

.... **miel**

.... **robe**

.... **chaussette**

.... **confiture**

.... **jean**

Découpe et colle les images

Cut out and stick the pictures

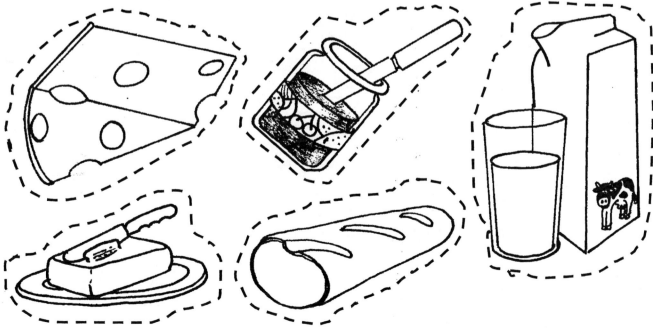

15:3

Page 16 'la France' – France

Get Started	**Introduction to the lesson** Look at the the map of France. See if the children know where the UK is, in relation to the map of France. There are six towns, two rivers and three regions. You could also see if the children know which countries border France.
Pupil's Book	**Answers to pupil's book** This page is self explanatory
16:1 Whole class activity listening to CD	**Worksheet 16:1** Listen carefully to the CD track and follow the questions and answers on the page. This page is a useful geography lesson.

16:1 CD Script	**Worksheet 16:1 CD Script**

Worksheet 16:1 CD Script

Qu'est-ce que tu fais à Bordeaux?	À Bordeaux, je fais de la voile. *I'm going sailing in Bordeaux.*
Qu'est-ce que tu fais à Sarlat?	À Sarlat, je fais du canoë.
Qu'est-ce que tu fais à Chamonix?	À Chamonix, je fais du ski.
Qu'est-ce que tu fais à Caen?	À Caen, je fais de l'équitation.
Qu'est-ce que tu fais à Angers?	À Angers, je visite des châteaux.

16:2 For the more able pupils	**Worksheet 16:2** This is a sentence building worksheet. Check the children can pronounce:

J'aime	Je n'aime pas	J'adore	Je déteste
I like	I don't like	I love	I hate

Worksheet 16:2 Answers

1. Je déteste   le canoë.
2. J'adore   le camping.
3. Je n'aime pas   le ski.
4. J'aime   l'équitation.
5. Je n'aime pas   la pêche
6. J'aime   la voile.
7. J'adore   la natation.

16:3 Relaxing activity for everyone	**Worksheet 16:3** Look at the grid of pictures. Each sport has a symbol beside it. ✓ J'aime ✗ Je n'aime pas ✓✓ J'adore ✗✗ Je déteste. I like I don't like I love I hate Colour the picture in the grid which exactly describes the sentences on the left of the page.

Worksheet 16:3 Answers

✗	Je n'aime pas la voile.	✗✗	Je déteste le ski.
✓	J'aime l'équitation.	✗	Je n'aime pas le tennis.
✓✓	J'adore le canoë.	✓✓	J'adore le camping.
✓	J'aime la natation.		

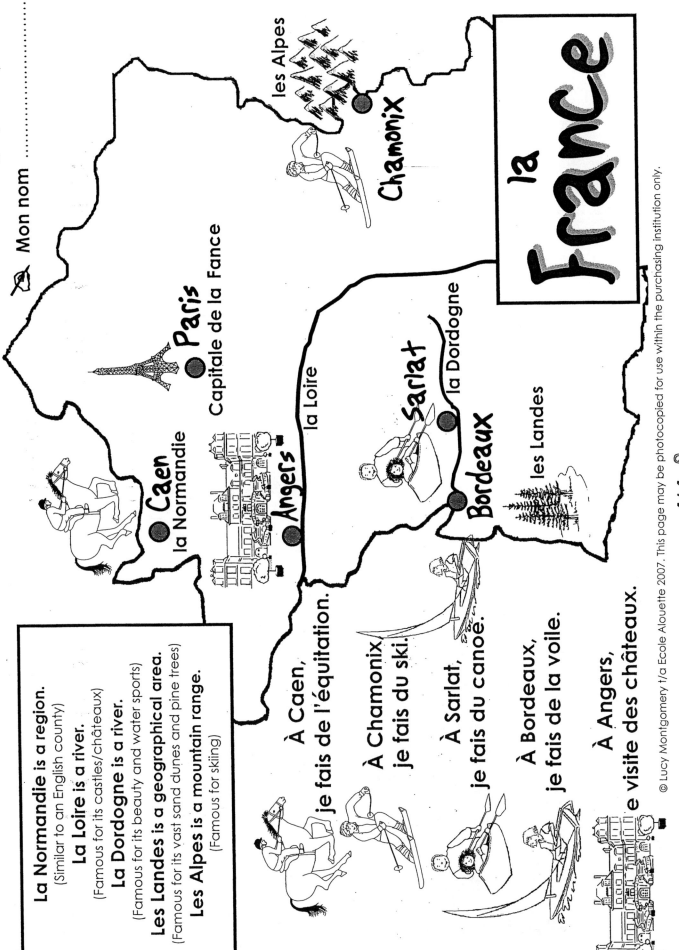

Mon nom ....

la **France**

les Alpes

Chamonix

Paris
Capitale de la Fance

la Loire

Caen
la Normandie

Angers

Sarlat
la Dordogne

Bordeaux

les Landes

À Caen,
je fais de l'équitation.

À Chamonix
je fais du ski.

À Sarlat,
je fais du canoë.

À Bordeaux,
je fais de la voile.

À Angers,
je visite des châteaux.

La Normandie is a region.
(Similar to an English county)
La Loire is a river.
(Famous for its castles/châteaux)
La Dordogne is a river.
(Famous for its beauty and water sports)
Les Landes is a geographical area.
(Famous for its vast sand dunes and pine trees)
Les Alpes is a mountain range.
(Famous for skiing)

16:1

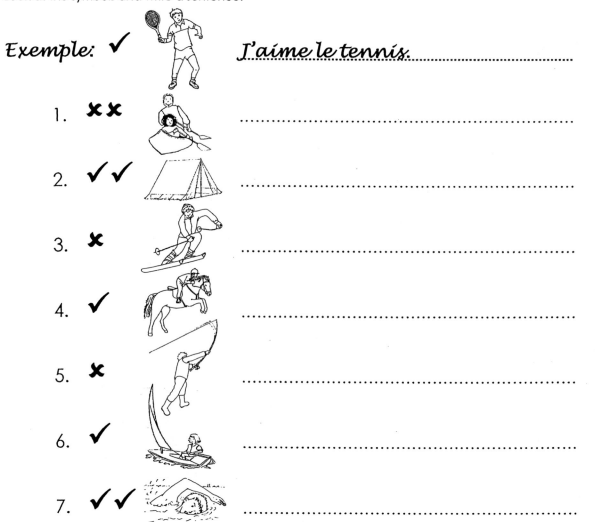

✎ **Mon nom** ....

Écris les phrases
Write the sentences

| ✔ J'aime | ✗ Je n'aime pas | ✔✔ J'adore | ✗✗ Je déteste |

le camping   **la natation**   **l'équitation**   **le canoë**

la pêche   **le ski**   **la voile**   **le tennis**

Regarde les symboles et écris une phrase.
Look at the symbols and write a sentence.

Exemple: ✔   *J'aime le tennis.* ....

1. ✗✗   ....

2. ✔✔   ....

3. ✗   ....

4. ✔   ....

5. ✗   ....

6. ✔   ....

7. ✔✔   ....

16:2

Colorie la bonne image

Je n'aime pas la voile.

J'aime l'équitation.

J'adore le canoë.

J'aime la natation.

Je déteste le ski.

Je n'aime pas le tennis.

J'adore le camping.

16:3

Page 17 'l'apostrophe' – apostrophe

Get Started	**Introduction to the lesson** The French like their language to sound effortless. If a word begins with a vowel, to ease pronunciation, they take away the **e** of l̶e̶ or the **a** of l̶a̶ and put an apostrophe in its place **l'**. l̶e̶ abeille (bee) l' abeille (bee) l̶e̶ escargot (snail) l' escargot (snail) l̶e̶ avion (aeroplane) l' avion (aeroplane)
Pupil's Book	**Answers to pupil's book** This page is self explanatory.
17:1 Whole class activity listening to CD	**Worksheet 17:1** All the words on this worksheet begin with a vowel, in French. Listen to the CD track and write the correct number in the box. Practise pronouncing each word making sure the l' and the actual word blend in to make one sound, l'avion is pronounced lavion
17:1 CD Script 	**Worksheet 17:1 CD Script** L'abeille (bee) est numéro 7. L'avion (aeroplane) est numéro 4. L'étoile (star) est numéro 9. L'arbre (tree) est numéro 10. L'usine (factory) est numéro 2. L'ordinateur (computer) est numéro 1. L'univers (universe) est numéro 5. L'orange (orange) est numéro 6. L'escargot (snail) est numéro 3. L'argent (money) est numéro 8.
17:2 For the more able pupils	**Worksheet 17:2** This exercise practices putting words into alphabetical order. Each word begins with a vowel. The initial letter has been given to save complete confusion!

Worksheet 17:2 Answers

ami	éléphant	oeuf	univers
araignée	escargot	ordinateur	
arbre	étoile		
avion			

Worksheet 17:3

Spot the difference is straightforward.

17:3 Relaxing activity for everyone	**Worksheet 17:3 Answers** 1. Saturn's eye 6. a thumb 2. star surrounding Saturn 7. a factory window 3. a fence plank 8. lines on aeroplane 4. a coin 9. snail shell 5. a flower 10. lines on computer screen

Écoute et écris le bon numéro

Listen and write the correct number.

L'ami est numéro … **11**

L'abeille est numéro …

L'étoile est numéro …

L'usine est numéro …

L'univers est numéro …

L'escargot est numéro …

L'avion est numéro …

L'arbre est numéro …

L'ordinateur est numéro …

L'orange est numéro …

L'argent est numéro …

Mon nom ....

l'apostrophe

Put all the words in alphabetical order.

l'ordinateur(m)
the computer

l'ami(m)
the friend

l'avion(m)
the aeroplane

l'oeuf(m)
the egg

l'araignée(f)
the spider

l'étoile(f)
the star

l'arbre(m)
the tree

l'escargot(m)
the snail

l'éléphant(m)
the elephant

l'univers(m)
the universe

l'abeille(f)
the bee

Write the words in alphabetical order.

a b c d e f g h i j k l m n o p q r s t u v w x y z

| l | ' | a | b | e | i | l | l | e |

| l | ' | a | | |

| l | ' | a | | | | | | |

| l | ' | a | | | | |

| l | ' | a | | | |

| l | ' | é | | | | | | |

| l | ' | e | | | | | |

| l | ' | é | | | | |

| l | ' | o | | | |

| l | ' | o | | | | | | | | |

| l | ' | u | | | | | |

Trouve les 10 différences.

Find the 10 differences.

Il était un petit navire

Il était un petit navire
Il était un petit navire
qui n'avait
ja ja jamais navigué
qui n'avait
ja ja jamais navigué
ohé ohé

Il partit pour un long voyage
Il partit pour un long voyage
sur la mer
Mé Mé Méditerranée
sur la mer
Mé Mé Méditerranée
ohé ohé

Au bout de cinq à six semaines
Au bout de cinq à six semaines
les vivres
vin vin vinrent à manquer
les vivres
vin vin vinrent à manquer
ohé ohé

See page 53 for a translation of this song.

Page 19 'les révisions' – revision

19:1 Whole class activity listening to CD	**Worksheet 19:1**
	This worksheet revises questions and answers.
	Before handing out the sheets, it would be a good idea to go though all the questions and their answers to remind the children of their pronunciation and meaning.
	Listen to the CD – the answer to each question is given in full and found at the top of the page.
	Write the letter which goes with each answer in the box next to the question.

19:1 CD Script

Worksheet 19:1 CD Script

Combien de chaussettes y a-t-il?	Il y en a vingt.	f
Combien de pulls y a-t-il?	Il y en a quinze.	g
De quelle couleur sont les chemises?	Les chemises sont rouges.	j
De quelle couleur sont les chaussures?	Les chaussures sont noires.	a
Vous désirez?	Je voudrais du pain.	h
Vous désirez?	Je voudrais du fromage.	d
Vous désirez?	Je voudrais des frites.	c
Comment tu t'appelles?	Je m'appelle Béatrice.	b
Quel âge as-tu?	J'ai neuf ans.	i
Où habites-tu?	J'habite à New York.	e

19:2 loto (4 games)	**Worksheet 19:2** *The teacher will need a game sheet as well.*
	There are four lotto games on this sheet. All the pictures revise the vocabulary learnt so far.
	Take the top game first and ask the children to circle any five food items. The teacher reads out the food items at random and crosses off the food items as they are read.
	The winner is the child who has circled the last food item to be called out.

19:3 word search	**Worksheet 19:3**
	This word search revises ten vocabulary words.
	Look for the main word only and don't include the words **le, la** and **l'**. Make sure the words are crossed out or filled in neatly. There is a tendency with word searches to rush and scribble.
	This word search does not include diagonals.

19:4 Assessment	**Worksheet 19:4**
	This is a simple test to revise the French that has been covered in the last eight chapters.
	The answers are found on page **19 :5** and the total is out of 33.
	If a child gets full marks 99% the extra mark needed for 100% can be given for neat presentation.

Écoute et écris la bonne réponse

d	du fromage	j	rouges	b	Béatrice	i	neuf	c	des frites
g	quinze	e	New York	h	du pain	a	noires	f	vingt

1. Combien de chaussettes y a-t-il?

    Il y en a ...

2. Combien de pulls y a-t-il?

    Il y en a ...

3. De quelle couleur sont les chemises?

    Les chemises sont...

4. De quelle couleur sont les chaussures?

    Les chaussures sont...

5. Vous désirez?

    Je voudrais ...

6. Vous désirez?

    Je voudrais ...

7. Vous désirez?

    Je voudrais ...

8. Comment tu t'appelles?

    Je m'appelle ...

9. Quel âge as-tu?

    J'ai...ans.

10. Où habites-tu?

    J'habite à...

loto

✎ Mon nom ....

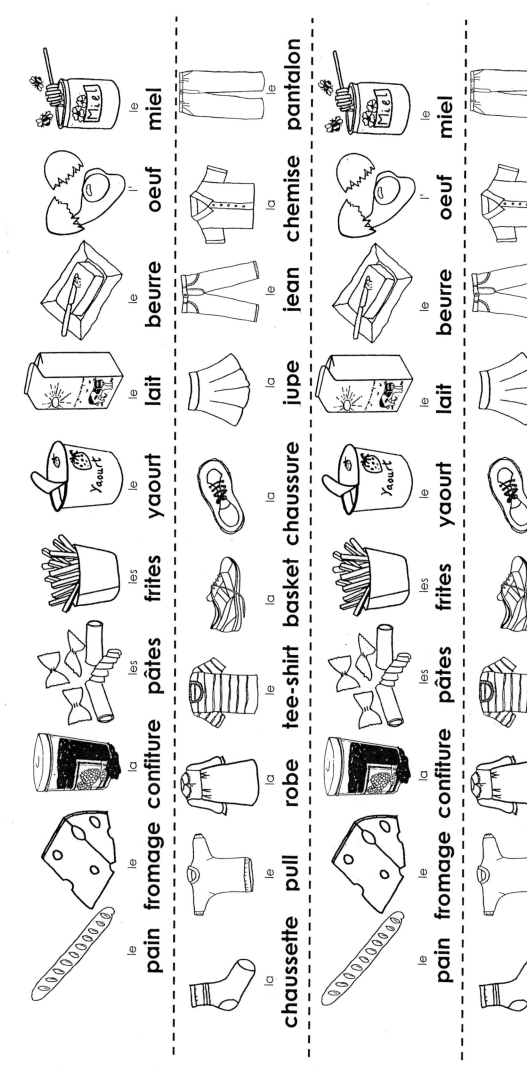

le pain   le fromage   la confiture   les pâtes   les frites   le yaourt   le lait   le beurre   l'oeuf   le miel

la chaussette   le pull   la robe   le tee-shirt   la basket   la chaussure   la jupe   le jean   la chemise   le pantalon

le pain   le fromage   la confiture   les pâtes   les frites   le yaourt   le lait   le beurre   l'oeuf   le miel

la chaussette   le pull   la robe   le tee-shirt   la basket   la chaussure   la jupe   le jean   la chemise   le pantalon

19:2

mots mêlés
wordsearch

c	w	j	e	a	n	q	g	h
h	f	k	p	l	m	c	n	p
a	r	z	â	s	b	h	q	a
u	o	w	t	r	a	e	h	i
s	m	k	e	d	s	m	j	n
s	a	h	s	v	k	i	b	x
e	g	t	y	z	e	s	w	e
t	e	j	k	f	t	e	g	h
t	f	r	i	t	e	s	z	d
e	b	v	c	x	p	u	l	l
v	w	b	e	u	r	r	e	q

le	le	le	les	les
pain	**beurre**	**fromage**	**frites**	**pâtes**

le	le	la	la	la
jean	**pull**	**chaussette**	**chemise**	**basket**

Bilan
Assessment

Total marks out of **33** [ ] % [ ]
Extra mark for neatness.

1. Write the correct number next to the English words. [ ] **12**

1	la chemise	7	le beurre	[ ] shoe	[ ] jam
2	le pull	8	le pain	[ ] bread	[ ] cheese
3	le pantalon	9	l' oeuf	[ ] egg	[ ] shirt
4	les baskets	10	les frites	[ ] jumper	[ ] milk
5	la chaussure	11	le lait	[ ] chips	[ ] butter
6	le fromage	12	la confiture	[ ] trainers	[ ] trousers

2. There are two ways of saying 'a' in French. [ ] **2**
Can you write them?

....

3. Translate the following sentences into English. [ ] **6**

La jupe est jaune.   ....

La chemise est verte.   ....

Le pyjama est violet.   ....

4. Tick words that would begin with l' in French. [ ] **8**

chaussette	[ ]	fromage	[ ]	lait	[ ]	univers	[ ]
étoile	[ ]	igloo	[ ]	oeuf	[ ]	argent	[ ]
tee-shirt	[ ]	assiette	[ ]	pantalon	[ ]	pain	[ ]
araignée	[ ]	confiture	[ ]	pâtes	[ ]	ordinateur	[ ]

5. Write the number of each question next to its answer. [ ] **5**

1	Combien de chaussettes y a-t-il?	[ ]	Le tee-shirt est vert.
2	Où habites-tu?	[ ]	Il y en huit.
3	Quel âge as-tu?	[ ]	J'ai neuf ans.
4	De quelle coueur est le tee-shirt?	[ ]	Je voudrais du miel s'il vous plaît.
5	Vous désirez?	[ ]	J'habite à Paris.

✎ Mon nom ....

Bilan
Assessment

Total marks out of **33** ☐ % ☐
Extra mark for neatness.

1. Write the correct number next to the English words. ☐ **12**

1	la chemise	7	le beurre	5	shoe	12	jam
2	le pull	8	le pain	8	bread	6	cheese
3	le pantalon	9	l' oeuf	9	egg	1	shirt
4	les baskets	10	les frites	2	jumper	11	milk
5	la chaussure	11	le lait	10	chips	7	butter
6	le fromage	12	la confiture	4	trainers	3	trousers

2. There are two ways of saying 'a' in French. ☐ **2**
    Can you write them?

   un   une

3. Translate the following sentences into English. ☐ **6**

   La jupe est jaune.   **The skirt is yellow.**
   La chemise est verte.   **The shirt is green.**
   Le pyjama est violet.   **The pyjamas are purple.**

4. Tick words that would begin with **l'** in French. ☐ **8**

chaussette	fromage	lait	univers ✓
étoile ✓	igloo ✓	œuf ✓	argent ✓
tee-shirt	assiette ✓	pantalon	pain
araignée ✓	confiture	pâtes	ordinateur ✓

5. Write the number of each question next to its answer. ☐ **5**

1	Combien de chaussettes y a-t-il?	4	Le tee- shirt est vert.
2	Où habites-tu?	1	Il y en huit.
3	Quel âge as-tu?	3	J'ai neuf ans.
4	De quelle couleur est le tee-shirt?	5	Je voudrais du miel s'il vous plaît.
5	Vous désirez?	2	J'habite à Paris.

Answers to
19:4

Il court, il court le furet

Il court, il court le furet
le furet du bois, Mesdames
Il court, il court le furet
le furet du bois joli

Il est passé par ici
Il repassera par là

Il court, il court le furet
le furet du bois, Mesdames
Il court, il court le furet
le furet du bois joli

This song is about a ferret who comes out of the wood and passes by and then returns the other way.
To play the game, make a circle with one child in the middle.
Find a piece of string long enough to go round the circle, slip a ring onto the string and tie both ends.
The children pass the ring from one to another.
The child in the middle guesses who has the ring in his hand when the song has finished.

See page 53 for a translation of this song.

Page 21 'les animaux' – animals

Get Started	**Introduction to the lesson** Every day general questions need to be practised. De quelle couleur? Comment tu t'appelles? Où habites-tu? Combien de? Quel âge as-tu? Also learning about consonants and vowels. NB In French 'y' is a vowel.
Pupil's Book	**Answers to pupil's book** This page is self explanatory.
21:1 **Whole class activity listening to CD**	**Worksheet 21:1** Listen carefully to the CD track. The full answer to each question is given and the children need to find the answer at the top of the page and write the corresponding letter next to the question.

21:1
CD Script

Worksheet 21:1 CD Script
1. **h** quatorze   2. **e** treize   3. **d** gris   4. **f** marron   5. **a** du beurre
6. **g** des pâtes 7. **c** du miel 8. **i** Léo   9. **j** dix   10. **b** Paris

Worksheet 21:2
Check the children know the difference between vowels and consonants. Remind them that 'y' is a vowel in French.
Each word has been split into two parts – the vowels and the consonants.
Write the letters in the correct boxes.

21:2
For the more able pupils

Worksheet 21:2 Answers

chien	c h n	i e
chat	c h t	a
poisson	p s s n	o i o
hamster	h m s t r	a e
lapin	l p n	a i
pull	p l l	u
chaussure	c h s s r	a u u e
jean	j n	e a
chemise	c h m s	e i e
basket	b s k t	a e

21:3
Relaxing activity for everyone

Worksheet 21:3
This exercise practises co-ordinates.
Write the correct co-ordinate for each animal.

Worksheet 21:3 Answers

1. le chien	**14 b** quatorze		4. le chat	**12 c** douze
2. le poisson	**16 b** seize		5. le lapin	**15 d** quinze
3. le hamster	**13 e** treize			

Écoute et écris la bonne réponse

d gris	**j** dix	**b** Paris	**i** Léo	**c** du miel					
g des pâtes	**e** treize	**h** quatorze	**a** du beurre	**f** marron					

1. Combien de chiens y a-t-il?

   Il y en a ...

2. Combien de poissons y a-t-il?

   Il y en a ...

3. De quelle couleur est le lapin?

   Le lapin est ...

4. De quelle couleur est le chat?

   Le chat est...

5. Vous désirez?

   Je voudrais ...

6. Vous désirez?

   Je voudrais ...

7. Vous désirez?

   Je voudrais ...

8. Comment tu t'appelles?

   Je m'appelle ...

9. Quel âge as-tu?

   J'ai...ans.

10. Où habites-tu?

   J'habite à...

Écris les consonnes et les voyelles

les voyelles

a	e	i	o	u	y

les consonnes

b	c	d	f	g	h	j	k	l	m	n	p	q	r	s	t	v	w	x	z

	les consonnes	les voyelles
le **chien**		
le **chat**		
le **poisson**		
le **hamster**		
le **lapin**		
le **pull**		
la **chaussure**		
le **jean**		
la **chemise**		
la **basket**		

Trouve les animaux dans la grille

Find the animals in the grid

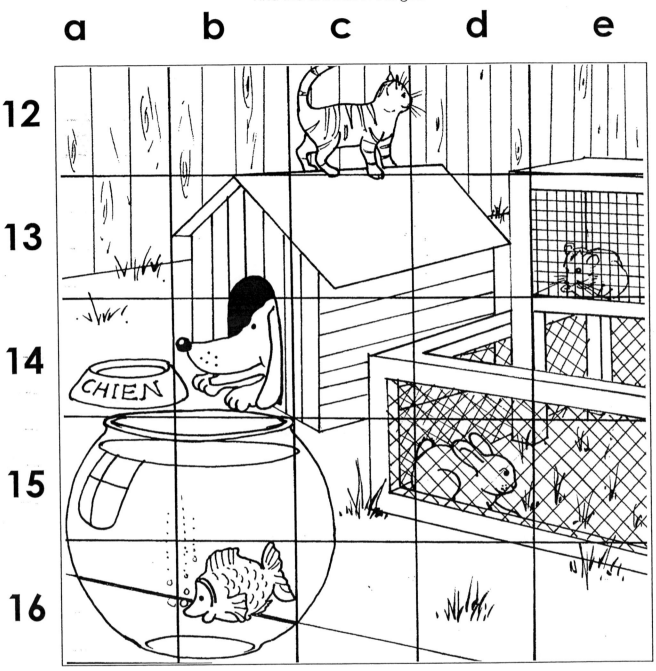

a   b   c   d   e

12   13   14   15   16

Find the animals in the picture and write their co-ordinates in the two boxes.
Circle the number used in the co-ordinate.

			douze	treize	quatorze	quinze	seize
le chien			douze	treize	quatorze	quinze	seize
le poisson			douze	treize	quatorze	quinze	seize
le hamster			douze	treize	quatorze	quinze	seize
le chat			douze	treize	quatorze	quinze	seize
le lapin			douze	treize	quatorze	quinze	seize

Page 22 'les animaux' – animals

Get Started	**Introduction to the lesson**
	Keep practising every day general questions. De quelle couleur? Comment tu t'appelles? Combien de? Quel âge as-tu? Ça va? Où habites-tu? Remind the children that **le** words are masculine and **la** words feminine.

Pupil's Book	**Answers to pupil's book**
	This page is self explanatory.

22:1 Whole class activity listening to CD	**Worksheet 22:1**
	Listen carefully to the CD track. Each sentence will be read out including the missing number. Write the number in the box at the end of the sentence and by the correct animal in the picture. This picture can be coloured in, if required.

<table>
<tr><td>22:1
CD Script
</td><td colspan="3">Worksheet 22:1 CD Script</td></tr>
<tr><td></td><td>Le cochon</td><td>rose est numéro treize.</td><td>13</td></tr>
<tr><td></td><td>Le lapin</td><td>gris est numéro douze.</td><td>12</td></tr>
<tr><td></td><td>Le mouton</td><td>blanc est numéro dix-huit.</td><td>18</td></tr>
<tr><td></td><td>Le chien</td><td>noir et blanc est numéro vingt.</td><td>20</td></tr>
<tr><td></td><td>La vache</td><td>marron et blanche est numéro dix.</td><td>10</td></tr>
<tr><td></td><td>La poule</td><td>rouge et marron est numéro deux.</td><td>2</td></tr>
<tr><td></td><td>Le cheval</td><td>marron est numéro quinze.</td><td>15</td></tr>
</table>

22:2 For the more able pupils	**Worksheet 22:2**
	This is a maths sheet. Its aim is to copy the correct spelling of each number in French and then complete the sum. The space above the last number is for the corresponding picture.

Worksheet 22:2 Answers

trois	+	seize	=	dix-neuf	(sheep)
quinze	+	un	=	seize	(cow)
seize	+	deux	=	dix-huit	(horse)
quatre	+	seize	=	vingt	(mouse)
vingt	-	trois	=	dix-sept	(pig)

22:3 Relaxing activity for everyone	**Worksheet 22:3**
	Look at the treasure map. Each picture has its own letter and grid box. Write the letter corresponding to each picture and discover a new word. At the end of each word there is an empty box. Write the letter of the circled picture in this box. All the boxes together make a hidden word.

Worksheet 22:3 Answers

1. c o c h o n
2. v a c h e
3. l a p i n
4. p o u l e
5. m o u t o n
Hidden word **chien**

Écoute et écris le bon numéro.

Write the correct numbers in the boxes and colour the animals in their correct colours.

Le cochon rose est numéro ...

Le lapin gris est numéro ...

Le mouton blanc est numéro ...

Le chien noir et blanc est numéro ...

La vache marron et blanche est numéro...

La poule rouge et marron est numéro ...

Le cheval marron est numéro ...

Compte et calcule

| un | deux | trois | quatre | cinq | quinze | seize | dix-sept | dix-huit | dix-neuf | vingt |

 +  =

_   dix - _ _ _ _ _ _

 +  =

_   _ _ _ _ _ _

 +  =

_   dix - _ _ _ _ _ _

 +  =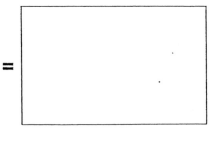

_   _ _ _ _ _ _

Check symbol

 - =

_   dix - _ _ _ _ _ _

22:2

Course au trésor

Look at the pictures in the treasure map, they all have a letter attached to them.
Work out which French word is written in picture code below. The circled animals each have their
own letter in the map. Put the letters together to make up the hidden word.

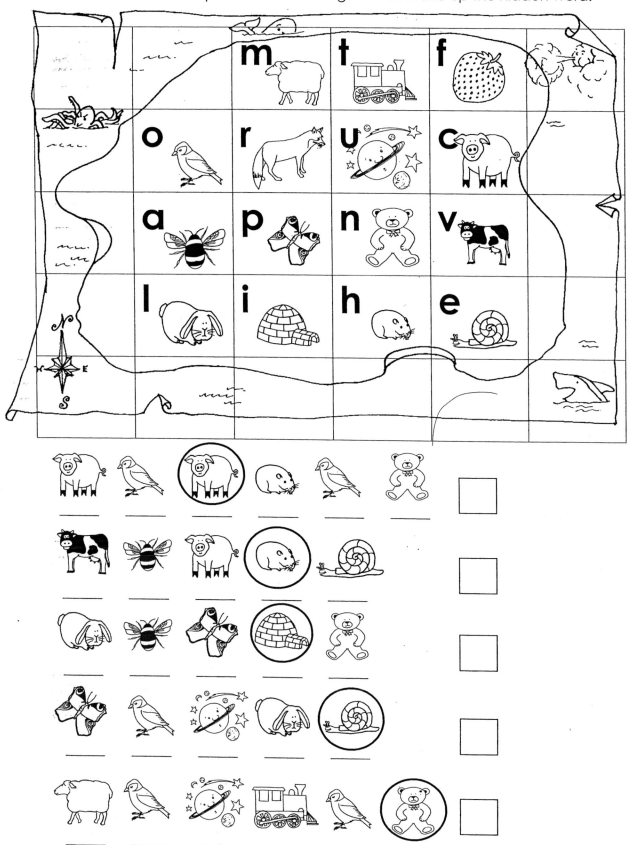

Je fais les courses

Bonjour Monsieur,
que désirez-vous?

Je voudrais un
kilo de pommes.

Je voudrais
du fromage.

Je voudrais
deux bananes.

Je voudrais
un paquet
de chips.

Avez-vous de la
confiture?
Non, je n'en ai pas.

Avez-vous des céréales? Oui, voilà et avec ça? x 2

Bonjour Madame,
que désirez-vous?

Je voudrais
des bonbons.

Je voudrais
des oeufs.

Je voudrais
six oranges.

Avez-vous
des croissants
chauds?
Non, je n'en ai
pas.

Je voudrais
du jambon.

Avez-vous un pot de miel? Oui, voilà et avec ça? x 2

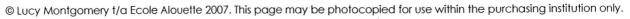

Page 24 'les fruits' – fruit

Get Started	**Introduction to the lesson** Introduce the question '**Qu'est-ce que c'est?**' What is it? Children always find this question difficult to read and pronounce so it is better if they learn it by heart. Remind the children that **le** words are masculine and **la** words feminine.
Pupil's Book	**Answers to pupil's book** This page is self explanatory.
24:1 **Whole class activity listening to CD**	**Worksheet 24:1** Listen carefully to the CD track and circle the correct spelling of une/un and the colour as each sentence is read out. Remind the children that: **une** is the feminine form of **one** or **a** **un** is the masculine form of **one** or **a** This worksheet can be used as question and answer practice.
24:1 **CD Script** 	**Worksheet 24:1 CD Script** 1. **un** jaune 2. **une** verte 3. **une** verte 4. **un** blanc 5. **une** blanche 6. **un** violet 7. **un** noir 8. **une** noire
	Worksheet 24:2 This worksheet looks at alphabetical order. To save confusion, the children have been told if there is more than one word beginning with the same letter.
24:2 **For the more able pupils**	**Worksheet 24:2 Answers** b banane f frites m mouton v vache b beurre f fromage o oeufs c citron l lait p pain c confiture m miel p pomme
	Worksheet 24:3 Put all the words in alphabetical order by labelling them from 1 – 10. Number 4 has already been done as an example. The alphabet has been written down to help remember in which order the letters come.
24:3 **Relaxing activity for everyone**	**Worksheet 24:3 Answers** 1. l' **a**ssiette (plate) 6. la **f**ourchette (fork) 2. le **b**eurre (butter) 7. le **f**romage (cheese) 3. la **c**onfiture (jam) 8. le **l**ait (milk) 4. le **c**outeau (knife) 9. le **p**ain (bread) 5. la **c**uillère (spoon) 10. le **v**erre (glass)

 **Mon nom** ....

Qu'est-ce que c'est?

What is it?

Listen to the CD and circle the correct word for 'a' (either '**un**' or '**une**') and also circle the correct colour.
Both the masculine and feminine colours are given.

Ex: Qu'est-ce que c'est?

C'est ⟨une⟩ | un | robe | *violet* | ⟨*violette.*⟩

1. Qu'est-ce que c'est?

C'est | *une* | *un* | citron | *jaune* | *jaune.*

2. Qu'est-ce que c'est?

C'est | *une* | *un* | poire | *vert* | *verte.*

3. Qu'est-ce que c'est?

C'est | *une* | *un* | pomme | *vert* | *verte.*

4. Qu'est-ce que c'est?

C'est | *une* | *un* | mouton | *blanc* | *blanche.*

5. Qu'est-ce que c'est?

C'est | *une* | *un* | chemise | *blanc* | *blanche.*

6. Qu'est-ce que c'est?

C'est | *une* | *un* | pull | *violet* | *violette.*

7. Qu'est-ce que c'est?

C'est | *une* | *un* | jean | *noir* | *noire.*

8. Qu'est-ce que c'est?

C'est | *une* | *un* | jupe | *noir* | *noire.*

l'ordre alphabétique
alphabetical order

a b c d e f g h l j k l m n o p q r s t u v w x y z

le **b**eurre   la *banane* _____

la **c**onfiture   le **b** ....

le **p**ain   le **c** ....

les **f**rites   la **c** ....

le **m**outon   les **f** ....

le **l**ait   le **f** ....

la **p**omme   le ....

la **v**ache   le **m** ....

les **o**eufs   le **m** ....

le **c**itron   les ....

la **b**anane   le **p** ....

le **m**iel   la **p** ....

le **f**romage   la ....

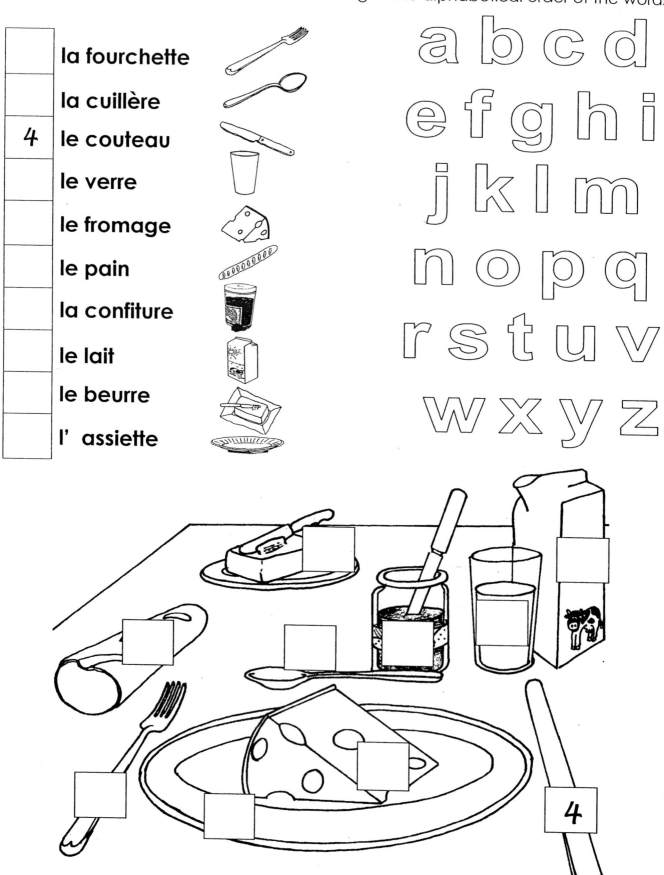

l'ordre alphabétique

Write the numbers 1 – 10 in the boxes according to the alphabetical order of the words.

	la fourchette
	la cuillère
4	le couteau
	le verre
	le fromage
	le pain
	la confiture
	le lait
	le beurre
	l' assiette

a b c d
e f g h i
j k l m
n o p q
r s t u v
w x y z

4

24:3

Page 25 'les légumes' – vegetables

Get Started

Introduction to the lesson
In French the plural words end in an 's' (as they do in English)
le chat (the cat)   le**s** chat**s** (the cats)
Sometimes, in French, words ending in 'u' need an 'x' to make the plural.
le chou (the cabbage)   le**s** chou**x** (the cabbages)

Pupil's Book

Answers to pupil's book
2 1. douze petits pois   4. huit carottes
   2. neuf pommes de terre   5. cinq choux-fleurs
   3. quatre choux
3 1. p o i r e (pear)   2. c a r o t t e (carrot)   3. f r a i s e (strawberry)

25:1 Whole class activity listening to CD

Worksheet 25:1
Listen carefully to the CD track and write the correct number on the dotted line as each little conversation is read out.

This page can be used as <u>conversation practice.</u>

25:1 CD Script

Worksheet 25:1 CD Script
Ex: **18**   1. **15**   2. **13**   3. **20**   4. **17**   5. **14**   6. **16**

Worksheet 25:2
This is a maths worksheet.
Write the number of each fruit or vegetable in box and then continue working out the sum.
The answer should be the name of a fruit or vegetable.

25:2 For the more able pupils

Worksheet 25:2 Answers
la pomme 1 + les petits pois 17 - l'oignon   15   = la poire   3
la banane 4 + la carotte   18 - le citron   5   = les petits pois 17
la fraise   2 + l'oignon   15 - le chou-fleur 16 = la pomme   1
le citron   5 + le chou-fleur 16 - la poire   3   = la carotte   18
la poire   3 + les petits pois 17 - la banane   4   = le chou-fleur 16
la pomme 1 + l'oignon   15 - la pomme   1   = l' oignon   15
la poire   3 + le chou-fleur 16 - l'oignon   15 = la banane   4

25:3 Relaxing activity for everyone

Worksheet 25:3
Look at the picture and write the correct letter next to each word.
Translate each word into English, if there is time.
The picture could be coloured in as well.

Worksheet 25:3 Answers
a. la poire   (pear)   e. la banane   (banana)
b. le citron   (lemon)   f. l'oignon   (onion)
c. le chou   (cabbage)   g. la tomate   (tomato)
d. la pomme   (apple)   h. la carotte   (carrot)

✑ **Mon nom** ....

Écoute bien et écris les chiffres

Listen carefully and write the correct number on the dotted line.

11	12	13	14	15	16	17	18	19	20
onze	douze	treize	quatorze	quinze	seize	dix-sept	dix-huit	dix-neuf	vingt

Ex: Bonjour Madame
Je voudrais ......*dix-huit*...... pommes, s'il vous plaît.
et avec ça?
C'est tout.

1. Bonjour Madame
Je voudrais .... fraises, s'il vous plaît.
et avec ça?
C'est tout.

2. Bonjour Mademoiselle
Je voudrais .... poires, s'il vous plaît.
et avec ça?
C'est tout.

3. Bonjour Mademoiselle
Je voudrais .... carottes, s'il vous plaît.
et avec ça?
C'est tout.

4. Bonjour Monsieur
Je voudrais .... choux, s'il vous plaît.
et avec ça?
C'est tout.

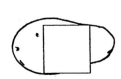

5. Bonjour Monsieur
Je voudrais .... pommes de terre, s'il vous plaît.
et avec ça?
C'est tout.

6. Bonjour Monsieur
Je voudrais .... choux-fleurs, s'il vous plaît
et avec ça?
C'est tout.

Écris et calcule

Write and work out the sums

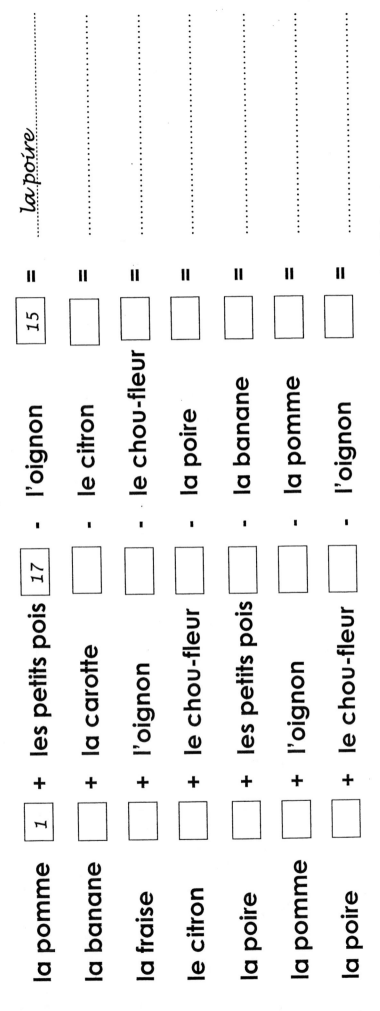

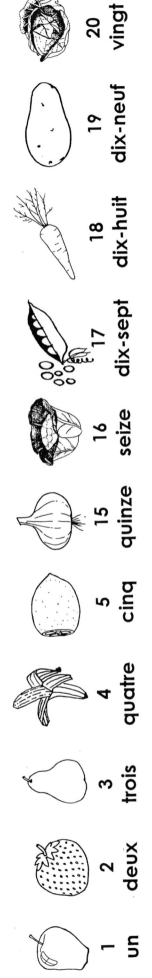

Mon nom ....

1 un	2 deux	3 trois	4 quatre	5 cinq	15 quinze	16 seize	17 dix-sept	18 dix-huit	19 dix-neuf	20 vingt

la pomme $\boxed{1}$ + les petits pois $\boxed{17}$ - l'oignon $\boxed{15}$ = _la poire_

la banane $\boxed{}$ + la carotte $\boxed{}$ - le citron $\boxed{}$ = ...

la fraise $\boxed{}$ + l'oignon $\boxed{}$ - le chou-fleur $\boxed{}$ = ...

le citron $\boxed{}$ + le chou-fleur $\boxed{}$ - la poire $\boxed{}$ = ...

la poire $\boxed{}$ + les petits pois $\boxed{}$ - la banane $\boxed{}$ = ...

la pomme $\boxed{}$ + l'oignon $\boxed{}$ - la pomme $\boxed{}$ = ...

la poire $\boxed{}$ + le chou-fleur $\boxed{}$ - l'oignon $\boxed{}$ = ...

25:2

Trouve l'image et traduis en anglais

Find the picture and translate into English

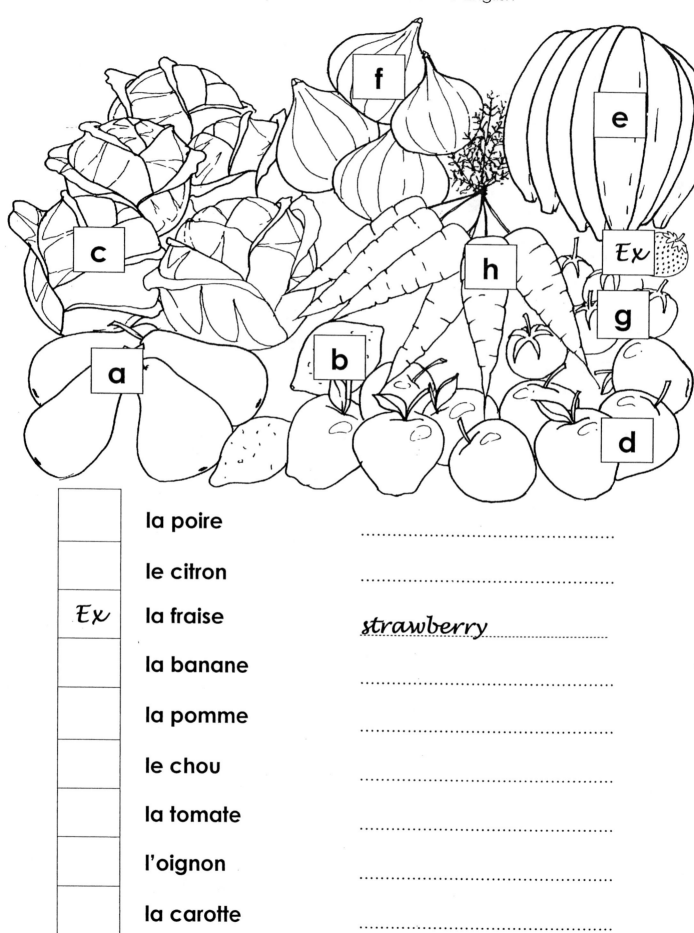

	la poire	....
	le citron	....
Ex	la fraise	*strawberry* ....
	la banane	....
	la pomme	....
	le chou	....
	la tomate	....
	l'oignon	....
	la carotte	....

Page 26 'Paris' – Paris

Get Started	**Introduction to the lesson** Remind the children that Paris is the capital of France and it is pronounced 'Paree' in French. Paris lies on the river Seine. There is an island in the middle of the Seine called **Ile de la Cité**.
Pupil's Book	**Answers to pupil's book** This page is self explanatory
26:1 **Whole class activity listening to CD**	**Worksheet 26:1** Listen carefully to the CD track and write the correct number in the boxes as each Paris landmark is called out. This page is a useful geography lesson.
26:1 **CD Script**	**Worksheet 26:1 CD Script** L'aéroport d'Orly est numéro un. Notre Dame est numéro deux. La Seine est numéro trois. Le Centre Pompidou est numéro quatre. La tour Eiffel est numéro cinq. Le bois de Boulogne est numéro six. L'arc de Triomphe est numéro sept. L'aéroport de Roissy (Charles de Gaulle) est numéro huit. Le Sacré Coeur est numéro neuf.
26:2 **For the more able pupils**	**Worksheet 26:2** This is an English comprehension worksheet. The aim is to help the children remember some facts about each Parisian building.
	Worksheet 26:2 Answers 1. 1889 2. International Exhibition of Paris 3. Napoleon 4. to guard the remains of the unknown soldier 5. on an island in the middle of the Seine (Ile de la Cité) 6. the Hunchback of Notre Dame 7. the French president (1969 – 1974) 8. all the internal pipes and fittings are on the outside 9. hill/mound of the martyrs 10. 1919
26:3 **Relaxing activity for everyone**	**Worksheet 26:3** This worksheet requires observation and memory. See if the children can remember which Paris landmark is which.
	Worksheet 26:3 Answers <table><tr><td>**le Centre Pompidou**</td><td>15 b</td><td>quinze</td></tr><tr><td>**Notre Dame**</td><td>13 a</td><td>treize</td></tr><tr><td>**la tour Eiffel**</td><td>14 d</td><td>quatorze</td></tr><tr><td>**l'arc de Triomphe**</td><td>16 e</td><td>seize</td></tr><tr><td>**le Sacré Cœur**</td><td>12 c</td><td>douze</td></tr></table>

Paris

Mon nom ....

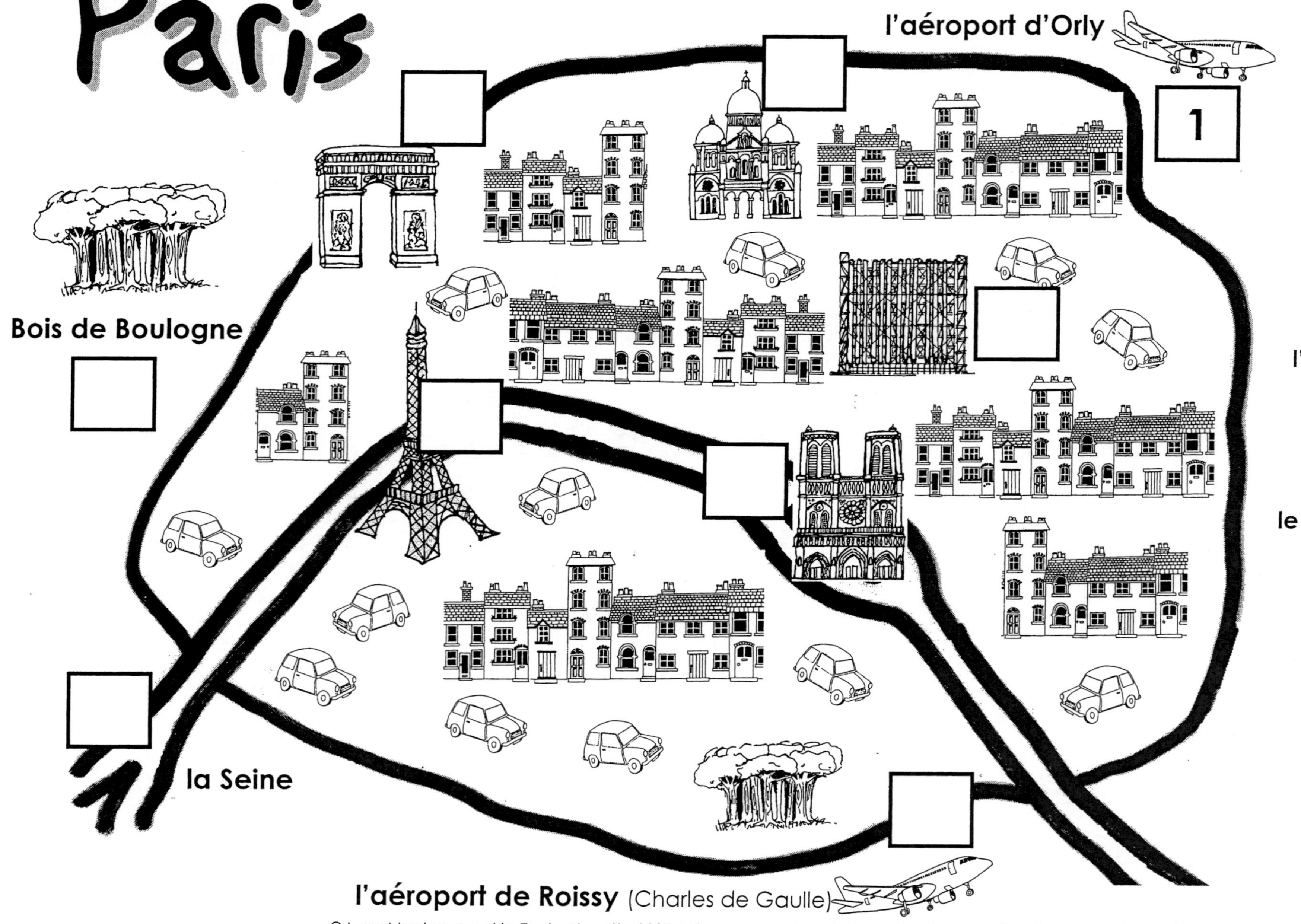

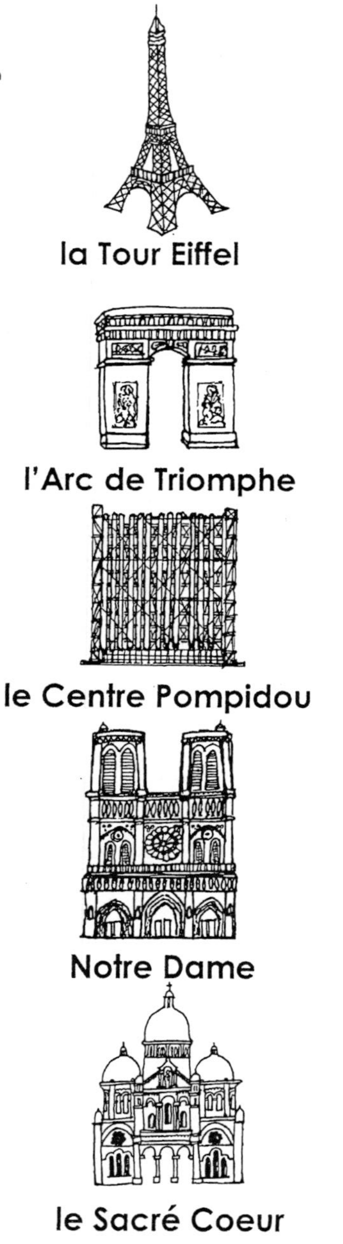

la Tour Eiffel

l'Arc de Triomphe

le Centre Pompidou

Notre Dame

le Sacré Coeur

l'aéroport d'Orly

1

Bois de Boulogne

la Seine

l'aéroport de Roissy (Charles de Gaulle)

Réponds aux questions.

Designed by **Gustave Eiffel** and built in 1889 for the International Exhibition of Paris. It stands 320 metres high and is made of 15,000 iron pieces and 2.5 million rivets.
The tower was saved from demolition in 1909 by the need for a radio antenna.

la Tour Eiffel

Built by **Napoléon** to celebrate his many victories it was still unfinished when Napoléon was defeated by **Wellington** at the Battle of Waterloo in 1815.
It now guards the remains of an unknown solider from World War I, with the eternal flame burning under it.

l'Arc de Triomphe

Started in 1163 and finished in about 1345 it is built on the **Ile de la Cité** which is a small island in the middle of the river **Seine**.
It is the setting for the novel "Notre-Dame de Paris" by **Victor Hugo** which was made famous by the Disney film "the Hunchback of Notre Dame".

Notre Dame

Named after the French President (1969 – 1974) the **Georges Pompidou** Centre caused much outrage when it was built in the 1970s. All the internal pipe-work is draped over its exterior so it looks inside out. The air conditioning ducts are blue, water pipes green, electricity lines yellow and escalators red.

le Centre Pompidou

Built at Montmartre (hill of martyrs) where tradition says **Sainte Denis**, the first Bishop of Paris, was martyred.
In 1875 **Cardinal Guibert**, archbishop of Paris started to build the **Basilica** in memory of the soldiers killed in the Franco Russian war of 1870.
It was completed in 1914 but was not consecrated until 1919.

le Sacré Coeur

Answer the questions in English.

1. When was the Eiffel Tower built? ....

2. What was the Eiffel Tower built for? ....

3. Who built the Arc de Triomphe? ....

4. What is the Arc de Triomphe's use now? ....

5. Where was Notre Dame built? ....

6. Which Disney film is set in Notre Dame? ....

7. Who was Georges Pompidou? ....

8. What's peculiar about the building? ....

9. What does Montmartre mean? ....

10. When was the Basilica consecrated? ....

🖎 **Mon nom** ....

Trouve les bâtiments dans la grille

Find the buildings in the grid

	a	**b**	**c**	**d**	**e**
12					
13					
14					
15					
16					

Find the buildings in the picture and write their co-ordinates in the two boxes.
Circle the number used in the co-ordinate.

le Centre Pompidou			douze	treize	quatorze	quinze	seize
Notre Dame			douze	treize	quatorze	quinze	seize
la tour Eiffel			douze	treize	quatorze	quinze	seize
l'arc de Triomphe			douze	treize	quatorze	quinze	seize
le Sacré Coeur			douze	treize	quatorze	quinze	seize

© Lucy Montgomery t/a Ecole Alouette 2007. This page may be photocopied for use within the purchasing institution only.

26:3

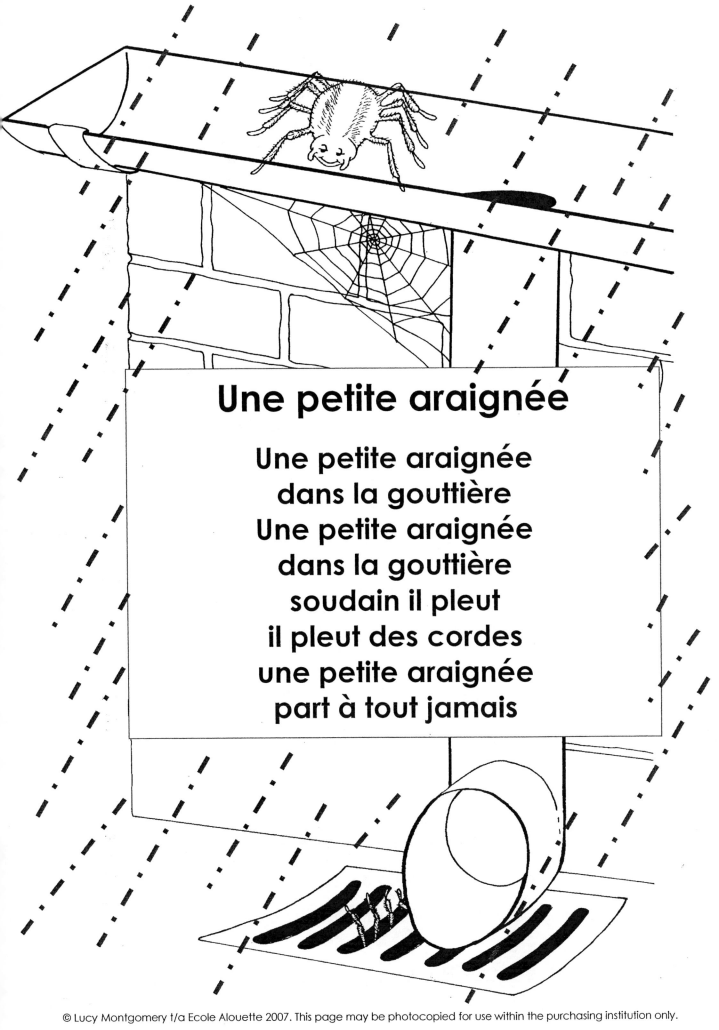

Une petite araignée

**Une petite araignée
dans la gouttière
Une petite araignée
dans la gouttière
soudain il pleut
il pleut des cordes
une petite araignée
part à tout jamais**

See page 53 for a translation of this song.

Page 28 'Je sais parler français' – I know how to speak French.

Get Started	**Introduction to the lesson** This is a revision page of questions and answers in French. Play the question, pause the CD to allow the children to read out the answer. If the children have a rough book, you could play the questions and ask them to jot down the answers in English with one word. eg De quelle couleur est le pull? Le pull est vert. (green)
Pupil's Book	**Answers to pupil's book** The questions and answers are self-explanatory.
28:1 **Whole class activity listening to CD**	**Worksheet 28:1** Listen carefully to the CD track and circle the correct word (**un/une**). Remind the children the difference between masculine and feminine words. If the word is masculine - **un** colour the square **blue** and circle **m** If the word is feminine - **une** colour the square **red** and circle **f**
28:1 **CD Script**	**Worksheet 28:1** CD Script 1. **une red f** 2. **un blue m** 3. **un blue m** 4. **un blue m** 5. **un blue m** 6. **une red f** 7. **un blue m** 8. **un blue m** 9. **une red f** 10. **une red f** 11. **un blue m**
28:2 **For the more able pupils**	**Worksheet 28:2** This is a straight forward number worksheet. Write the French for each number down the left hand column and the number that goes with the French word down the right hand column.

Worksheet 28:2 Answers

9	neuf	12	douze	2	deux	8	huit
16	seize	5	cinq	11	onze	15	quinze
10	dix	18	dix-huit	6	six	4	quatre
20	vingt	14	quatorze	1	un	19	dix-neuf
3	trois	7	sept	17	dix-sept	13	treize

28:3 **Relaxing activity for everyone**	**Worksheet 28:3** This is a traditional game of battle ships. The teacher will need a game sheet in order to remember which squares he has called out. Ask the children to put a cross in any five different squares in the top grid. The teacher calls out the co-ordinates of each square one by one (remembering to cross them off as he calls them out). If a child has a cross in that square, he has to destroy the square. The winner is the one who has a cross in the very last square.

Worksheet 28:3 Answers

This game is self-explanatory.

Entoure les bons mots et les bonnes lettres

Circle **une** or **un** when listening to the CD.
Colour the empty box correctly in red or blue and circle the correct letter (masculin and féminin).

Ex: | un (une) | vache | rouge | (f)   m

1. | un | une | poule | ☐ | f   m

2. | un | une | cochon | ☐ | f   m

3. | un | une | lapin | ☐ | f   m

4. | un | une | chien | ☐ | f   m

5. | un | une | cheval | ☐ | f   m

6. | un | une | pomme | ☐ | f   m

7. | un | une | citron | ☐ | f   m

8. | un | une | chou-fleur | ☐ | f   m

9. | un | une | carotte | ☐ | f   m

10. | un | une | fraise | ☐ | f   m

11. | un | une | oignon | ☐ | f   m

une (a) words are **feminine** and are coloured **red**.
un (a) words are **masculine** and are coloured **blue**.

Écris le bon numéro

Write the correct number

9	....			deux
16	....			onze
10	....			six
20	....			un
3	....			dix-sept
12	....			huit
5	....			quinze
18	....			quatre
14	....			dix-neuf
7	....			treize

bataille navale

battle ships

	a	b	c	d
1				
2				
3				
4				

	a	b	c	d
1				
2				
3				
4				

Page 29 'les révisions' – revision

29:1 Whole class activity listening to CD	**Worksheet 29:1** This worksheet revises questions and answers. Before handing out the sheets, it would be a good idea to go though all the questions and their answers to remind the children of their pronunciation and meaning. Listen to the CD – the answer to each question is given in full and found at the top of the page. Write the letter which goes with each answer in the box next to the question.

29:1 CD Script

Worksheet 29:1 CD Script

Exemple	Vous désirez?	Je voudrais des petits pois.
Numéro treize	Qu'est-ce que c'est?	C'est une poule.
Numéro onze	De quelle couleur sont les pommes?	Les pommes sont vertes.
Numéro seize	Est-ce que tu aimes la natation?	Oui, j'adore la natation.
Numéro douze	Combien de vaches y a-t-il?	Il y en a quatorze.
Numéro quatorze	Où vas-tu?	Je vais en France.
Numéro quinze	Comment tu t'appelles?	Je m'appelle Enzo.
Numéro dix-huit	Quel âge as-tu?	J'ai dix ans.
Numéro vingt	Où habites-tu?	J'habite à Sydney.

29:2 loto (4 games)	**Worksheet 29:2** *The teacher will need a game sheet as well.* There are four lotto games on this sheet. All the pictures revise the vocabulary learnt so far. Take the top game first and ask the children to circle any five food items. The teacher reads out the food items at random and crosses off the food items as they are read. The winner is the child who has circled the last food item to be called out.
29:3 word search (2 games)	**Worksheet 29:3** This word search revises ten vocabulary words. Look for the main word only and don't include the words **le, la** and **l'**. Make sure the words are crossed out or filled in neatly. There is a tendancy with word searches to rush and scribble. This word search does not include diagonals.
29:4 Assessment	**Worksheet 29:4** This is a simple test to revise the French that has been covered in the last eight chapters. The answers are found on page **29 :5** and the total is out of 33. If a child gets full marks 99% the extra mark needed for 100% can be given for neat presentation.

Écoute bien et écris la bonne réponse

☐	Je vais en France	☐	J'habite à Sydney.	☐	Les pommes sont vertes.
☐	J'ai dix ans.	☐	Il y en a quatorze.	☐	C'est une poule.
☐	Je m'appelle Enzo.	☐	Oui, j'adore la natation.	**Ex**	Je voudrais des petits pois.

Ex   Vous désirez?

☐   Qu'est-ce que c'est?

☐   De quelle couleur sont les pommes?

☐   Est-ce que tu aimes la natation?

☐   Combien de vaches y a-t-il?

☐   Où vas-tu?

☐   Comment tu t'appelles?

☐   Quel âge as-tu?

☐   Où habites-tu?

loto

Mon nom ....

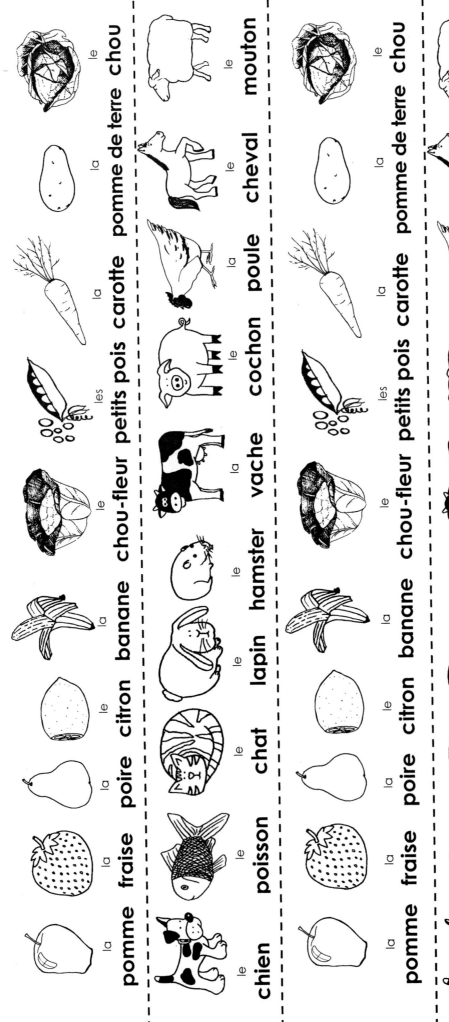

la pomme   la fraise   la poire   le citron   la banane   le chou-fleur   les petits pois   la carotte   la pomme de terre   le chou

le chien   le poisson   le chat   le lapin   le hamster   la vache   le cochon   la poule   le cheval   le mouton

mots mêlés
wordsearch

c	w	v	a	c	h	e	g	b
a	c	k	l	y	m	p	n	c
r	h	z	a	s	f	o	q	h
o	o	w	p	n	r	m	h	i
t	u	k	i	d	a	m	j	e
t	f	h	n	v	i	e	b	n
e	l	t	y	z	s	b	w	e
b	e	j	k	f	e	x	g	h
v	u	p	o	i	s	s	o	n
e	r	v	c	i	t	r	o	n
v	w	c	o	c	h	o	n	q

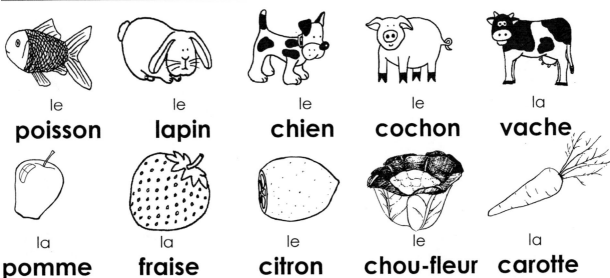

le **poisson**   le **lapin**   le **chien**   le **cochon**   la **vache**

la **pomme**   la **fraise**   le **citron**   le **chou-fleur**   la **carotte**

Bilan

Assessment

Total marks out of **33** ☐ % ☐

Extra mark for neatness.

1. Write the correct number next to the English words. ☐ **12**

1	le mouton	7	le chou		rabbit		peas
2	le lapin	8	le poisson		cabbage		sheep
3	le citron	9	la fraise		strawberry		potato
4	les petits pois	10	la pomme		cat		dog
5	le cochon	11	le chien		apple		lemon
6	le chat	12	la pomme de terre		fish		pig

2. What is the plural word for '**the**' in French? ☐ **1**

....

3. Translate the following sentences into English. ☐ **6**

une pomme rouge   ....

un citron jaune   ....

une poire verte   ....

4. Tick the **feminine** French words only. ☐ **9**

le chat		la pomme		la tomate		la fraise	
la chaussette		le chien		le mouton		le chou-fleur	
la poire		le lapin		la banane		la carotte	
la vache		la poule		le cheval		le citron	

5. Write the number of each famous Paris attraction next to its description. ☐ **5**

1	Eiffel Tower		Basilica
2	le Centre Pompidou		Large stone archway
3	Notre Dame		Momument made of steel girders
4	Arc de Triomphe		Museum (famous for its coloured external pipes)
5	Sacré Coeur		Cathedral

Bilan

Assessment

Mon nom ....

Total marks out of **33** ☐ % ☐

Extra mark for neatness.

1. Write the correct number next to the English words. ☐ **12**

1	le mouton	7	le chou	2	rabbit	4	peas
2	le lapin	8	le poisson	7	cabbage	1	sheep
3	le citron	9	la fraise	9	strawberry	12	potato
4	les petits pois	10	la pomme	6	cat	11	dog
5	le cochon	11	le chien	10	apple	3	lemon
6	le chat	12	la pomme de terre	8	fish	5	pig

2. What is the plural word for 'the' in French? ☐ **1**

les

3. Translate the following sentences into English. ☐ **6**

une pomme rouge — **a** or **one red apple**

un citron jaune — **a** or **one yellow lemon**

une poire verte — **a** or **one green pear**

4. Tick the **feminine** French words only. ☐ **9**

le chat   la pomme ✓   la tomate ✓   la fraise ✓

la chaussette ✓   le chien   le mouton   le chou-fleur

la poire ✓   le lapin   la banane ✓   la carotte ✓

la vache ✓   la poule ✓   le cheval   le citron

5. Write the number of each famous Paris attraction next to its description. ☐ **5**

1	Eiffel Tower	5	Basilica
2	Le Centre Pompidou	4	Large stone archway
3	Notre Dame	1	Momument made of steel girders
4	Arc de Triomphe	2	Museum (famous for its external coloured pipes)
5	Sacre Coeur	3	Cathedral

Answers to
29:4

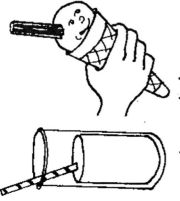

Je voudrais
du jus de fruit
et de la glace. x 2

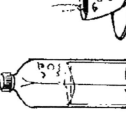
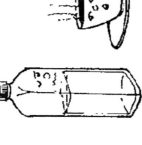

Je voudrais
de l'eau minérale ou
une tasse de thé. x 2

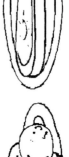

Je voudrais une tarte
aux pommes avec
de la crème. x 2

Je voudrais
du chocolat et
un yaourt.

Je voudrais une
limonade ou un
coca froid.

Je voudrais de la
viande et un verre
de vin.

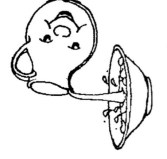

Je voudrais
des céréales
avec du lait froid.

Je voudrais une
pizza chaude
avec des frites.

Je voudrais une
salade verte et des
pommes de terre.

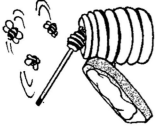

Je voudrais une
tranche de pain
avec du miel.

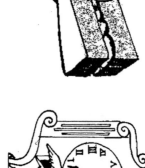

Je voudrais un
gros sandwich
et des tomates.

Je voudrais un
gros biftek avec
du chou-fleur.

À table

Il est six heures et
demie, j'ai faim
et j'ai soif.

Il est midi et demi,
j'ai faim et j'ai soif.

Il est sept heures
et demie, j'ai
faim et j'ai soif.

Page 31 'la tête' – the head

Get Started	**Introduction to the lesson**
	Introduce the question '**Qu'est-ce que c'est?**' What is it?
	Children always find this question difficult to read and pronounce so it is better if they learn it by heart.
	Remind the children that **un** means **a** or **one** and is masculine
	and **une** means **a** or **one** and is feminine.

Pupil's Book	**Answers to pupil's book**	
	1. Pierre (Peter) has one nose. ✓	C'est une oreille.
	2. Pierre (Peter) has three ears. ✗	C'est une bouche.
	3. Pierre (Peter) has two mouths. ✗	C'est un nez.
	4. Pierre (Peter) has two eyes. ✓	
	5. Pierre (Peter) has four heads. ✗	

31:1 Whole class activity listening to CD	**Worksheet 31:1**
	Listen carefully to the CD track and revise the French words for vegetables and some natural history creatures.
	Each word is pronounced with its corresponding letter of the alphabet.
	Write the letter of the alphabet next to each picture.

31:1 CD Script	**Worksheet 31:1 CD Script**	
	a la tomate (tomato)	**f** les petits pois (peas)
	b l' oignon (onion)	**g** la pomme de terre (potato)
	c l'abeille (bee)	**h** la carotte (carrot)
	d l' araignée (spider))	**i** le chou-fleur (cauliflower)
	e le papillon (butterfly)	**j** le chou (cabbage)

31:2 For the more able pupils	**Worksheet 31:2**
	This is a co-ordinate worksheet.
	Write the French for each picture and its co-ordinate.

Worksheet 31:2 Answers

le fromage	7 a	le chien	5 h	le citron	2 e
le poisson	8 c	la pomme	2 h	la poule	1 c
le chou	7 g	la fraise	6 e	la banane	3 b
le chat	5 d	les frites	4 i	le cochon	4 f

31:3 Relaxing activity for everyone	**Worksheet 31:3**
	Ask the children to circle one of the four faces.
	The teacher throws a dice and calls out the number. The child crosses out/colours that number on the face picture. If there are two numbers the same he has to wait for the second number to be called out before it can be crossed out.
	The winner is the first person to fill in all the numbers on the face picture.

Worksheet 31:3 Answers

This game is self-explanatory.

Écris la bonne lettre et traduis en anglais

Write the correct letter in each box and translate into English

🖎 **Mon nom** ....

a b c d e f g h i j

Ex	l'escargot	*snail* ....
	le papillon	....
	l'abeille	....
	la pomme de terre	....
	la tomate	....
	le chou	....
	la carotte	....
	l'oignon	....
	les petits pois	....
	le chou-fleur	....
	l'araignée	....

Mon nom ....

Cherche les images

le citron	le chat	*le fromage*	le cochon	la pomme	le chien	la fraise	le chou	le poisson	la poule	les frites	la banane

	a	b	c	d	e	f	g	h	i
1									
2									
3									
4									
5									
6									
7									
8									

le fromage 7 a

.... ___ ___

.... ___ ___

.... ___ ___

.... ___ ___

.... ___ ___

.... ___ ___

.... ___ ___

.... ___ ___

.... ___ ___

.... ___ ___

.... ___ ___

Mon nom ....

jeu de dé
dice game

Page 32 'le corps' – the body

Get Started	**Introduction to the lesson** Remind the children of the question '**Qu'est-ce que c'est?**' What is it? Revise the vowels in French **a e i o u y** Remind the children that **un** means **a** or **one** and is masculine and **une** means **a** or **one** and is feminine.
Pupil's Book	**Answers to pupil's book** 1. I've (got) three feet. ✗ C'est une main. 2. I've (got) two arms. ✓ C'est un bras. 3. I've (got) two legs. ✓ C'est une jambe. 4. I've (got) four hands. ✗ 5. I've (got) a/one head. ✓
32:1 **Whole class activity listening to CD**	**Worksheet 32:1** Listen to the CD track and revise the French words for parts of body. You will be given a grid reference and the name of a part of the body. Colour the correct part of the body according to the instructions on the CD.
32:1 **CD Script** 	**Worksheet 32:1** CD Script 3 i Colorie la main en vert. 4 a Colorie la jambe en rouge. 1 e Colorie le bras en bleu. 5 i Colorie le bras en orange. 6 o Colorie la tête en jaune. 3 u Colorie le pied en violet. 2 e Colorie le pied en rose. 2 a Colorie la tête en marron.
32:2 **For the more able pupils**	**Worksheet 32:2** This is a straightforward translation worksheet. Remind the children that **Je** means **I** and **ai** goes with **Je** and means **have**. As a result of the two vowels J**e** and **ai** the J**e** becomes **J'**.
	Worksheet 32:2 Answers 1. I have two feet. 5. I have one/a head. 2. I have two eyes. 6. I have two legs. 3. I have one/a nose. 7. I have two arms. 4. I have one/a mouth. 8. I have two ears.
32:3 **Relaxing activity for everyone**	**Worksheet 32:3** This game is self-explanatory.
	Worksheet 32:3 Answers 1. bird in sky 6. handle of dagger 2. rim of pirate's hat 7. notch in belt 3. skull on hat 8. bones on flag 4. sabre blade 9. smoke from pistol 5. ruff on shirt sleeve 10. parrot's beak

Colorie la bonne image

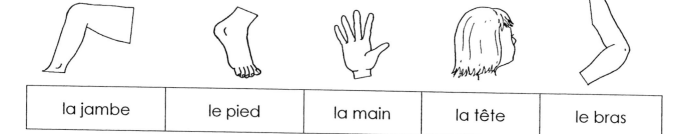

la jambe	le pied	la main	la tête	le bras

	a	**e**	**i**	**o**	**u**
1					
2					
3					
4					
5					
6					

Traduis les phrases en anglais.

Translate the sentences into English.

Learn the difference between **Je** and **J'ai**
Learn how to spell them as well
The apostrophe tells you the **e** of **Je** is missing

Je	I	**ai**	have
Je̶'		**ai**	I have

Ex : J'ai deux mains.

I've (got) two hands. **or** *I have two hands.* ....

1. J'ai deux pieds.

....

2. J'ai deux yeux.

....

3. J'ai un nez.

....

4. J'ai une bouche.

....

5. J'ai une tête.

....

6. J'ai deux jambes.

....

7. J'ai deux bras.

....

8. J'ai deux oreilles.

....

Trouve les 10 différences.

Find the 10 differences.

Tête, épaules, genoux et pieds

Tête, épaules
genoux et pieds
genoux et pieds

Tête, épaules
genoux et pieds
genoux et pieds

les yeux, le nez
la bouche, les oreilles

Tête, épaules
genoux et pieds
genoux et pieds

les yeux   le nez   la bouche   les oreilles

See page 53 for a translation of this song.

Page 34 'les passe-temps' – hobbies

Get Started	**Introduction to the lesson** Introduce the question '**Est-ce que tu aimes.....?**' Do you like .....? '**Tu aimes.....?**' Do you like .....? Both ways of asking a question are possible. Check the children can spell and pronounce **non** (no) and **oui** (yes).
Pupil's Book	**Answers to pupil's book** This page is self-explanatory.
34:1 Whole class activity listening to CD	**Worksheet 34:1** Listen to the CD track as the questions are being read out. The answers have been given. Look at the top of the page where all the answers have also been written and write the correct number for the answer.
34:1 CD Script	**Worksheet 34:1 CD Script** 1. Non, je n'aime pas le football.　　4. Oui, j'aime la lecture. 2. Non, je n'aime pas la natation.　　5. Oui, j'aime la cuisine. 3. Oui, j'aime la télévision.　　6. Non, je n'aime pas l'équitation.
34:2 For the more able pupils	**Worksheet 34:2** This worksheet looks difficult but it is, in fact, straightforward. The question is asked in two different ways (both have the same meaning) The expected answer has been shown by a **tick** followed by **Oui** or a **cross** followed by **Non**.
	Worksheet 34:2 Answers 1. Oui, j'aime la lecture.　　4. Non, je n'aime pas la cuisine. 2. Oui, j'aime l'équitation.　　5. Non, je n'aime pas le football. 3. Oui, j'aime la natation.
34:3 Relaxing activity for everyone	**Worksheet 34:3** This worksheet is self-explanatory.

Worksheet 34:3 Answers

le pied	p d	i e
le bras	b r s	a
la jambe	j m b	a e
les yeux	x	y e u
les oreilles	r l l s	o e i e
la main	m n	a i
la tête	t t	ê e
le nez	n z	e
la bouche	b c h	o u e
les cheveux	c h v x	e e u

Écoute et écris la bonne réponse

☐ Non, je n'aime pas la natation.	☐ Non, je n'aime pas l'équitation.	☐ Oui, j'aime la cuisine.
☐ Oui, j'aime la lecture.	☐ Oui, j'aime la télévision.	1 Non, je n'aime pas le football.

☐ Est-ce que tu aimes la télévision?

Oui, j'aime la télévision.

☐ Est-ce que tu aimes la cuisine?

Oui, j'aime la cuisine.

1 Est-ce que tu aimes le football?

Non, je n'aime pas le football.

☐ Est-ce que tu aimes la lecture?

Oui, j'aime la lecture.

☐ Est-ce que tu aimes l'équitation?

Non, je n'aime pas l'équitation.

☐ Est-ce que tu aimes la natation?

Non, je n'aime pas la natation.

Réponds aux questions

Learn the difference between **Je** and **J'aime**
Learn how to spell them as well
The apostrophe tells you the **e** of **Je** is missing

Je	*I*	**aime**	*like*
J'		**aime**	*I like*

Ex: Est-ce que tu aimes la télévision?
Tu aimes la télévision?

> There is no 's' on **j'aime**.

✓ Oui, *j'aime la télévision* ....

✗ Non, *je n'aime pas la télévision.* ....

1. Est-ce que tu aimes la lecture?
Tu aimes la lecture?

✓ Oui, ...

2. Est-ce que tu aimes l'équitation?
Tu aimes l'équitation?

✓ Oui, ...

3. Est-ce que tu aimes la natation?
Tu aimes la natation?

✓ Oui, ...

4. Est-ce que tu aimes la cuisine?
Tu aimes la cuisine?

✗ Non, ...

5. Est-ce que tu aimes le football?
Tu aimes le football?

✗ Non, ...

Écris les consonnes et les voyelles

les voyelles

a	e	i	o	u	y

les consonnes

b	c	d	f	g	h	j	k	l	m	n	p	q	r	s	t	v	w	x	z

	les consonnes	les voyelles
le **pied**	☐☐	☐☐
le **bras**	☐☐☐	☐
la **jambe**	☐☐☐	☐☐
les **yeux**	☐	☐☐☐
les **oreilles**	☐☐☐☐	☐☐☐☐
la **main**	☐☐	☐☐
la **tête**	☐☐	☐☐
le **nez**	☐☐	☐
la **bouche**	☐☐☐	☐☐☐
les **cheveux**	☐☐☐☐	☐☐☐

Page 35 'les jouets' – toys

Get Started	**Introduction to the lesson**

Revising the question **'Combien de ... y a-t-il?'**   How many... are there?
                the answer   **'Il y en a .....'**   There are.....

Revise French numbers from 1 – 20
Also revise the question **'Qu'est-ce que c'est?'**
                the answer   **'C'est un/une....'**

Pupil's Book	**Answers to pupil's book**

1. Il y en a dix-huit. (18)   3. Il y en a seize.   (16)
2. Il y en a douze. (12)   4. Il y en a sept.   (7)

35:1 Whole class activity listening to CD	**Worksheet 35:1**

Listen to the CD track as the questions are being read out.
Qu'est-ce que c'est?   What is it?
C'est un/une.....   It's a ....

35:1 CD Script	**Worksheet 35:1** CD Script

Ex. Il y en a douze.   **12**   3. Il y en a treize.   **13**
1.   Il y en a seize.   **16**   4. Il y en a quinze.   **15**
2 . Il y en a quatorze.   **14**   5. Il y en a dix-sept.   **17**

35:2 For the more able pupils	**Worksheet 35:2**

This worksheet looks difficult but it is, in fact, straightforward.
Check the children know about the two different ways of answering

e.g. Combien de nounours y a-t-il?   How many teddies are there?
      Il y en a douze.   There are twelve.
      Il y a douze nounours.   There are twelve teddies.

Worksheet 35:2 Answers

1. Il y en a trois.   3. Il y en deux.
   Il y a trois poupées.   Il y a deux nounours.
2. Il y en a huit.   4. Il y en a neuf.
   Il y a huit ballons.   Il y a neuf livres.

35:3 Relaxing activity for everyone	**Worksheet 35:3**

This worksheet revises co-ordinates.
Some words are written more than once but you will find more than one example in the picture.

Worksheet 35:3 Answers

le nounours	**un**	**a**	le ballon	**deux**	**a**
le ballon	**deux**	**b**	la poupée	**un**	**b**
le jeu	**deux**	**d**	le ballon	**deux**	**c**
la poupée	**un**	**c**			

Écoute et entoure le bon numéro

| un livre | une poupée | un *jeu* (game) | un ballon | un nounours | un jouet |

un *jeux* (game)

Ex: Qu'est-ce que c'est?

C'est un *jeu.*

Combien de jeux y a-t-il?

Il y en a (12) 13, 14, 15, 16, 17

un livre

1. Qu'est-ce que c'est?

C'est un livre.

Combien de livres y a-t-il?

Il y en a **12, 13, 14, 15, 16, 17**

une poupée

2. Qu'est-ce que c'est?

C'est une poupée.

Combien de poupées y a-t-il?

Il y en a **12, 13, 14, 15, 16, 17**

un ballon

3. Qu'est-ce que c'est?

C'est un ballon.

Combien de ballons y a-t-il?

Il y en a **12, 13, 14, 15, 16, 17**

un jouet

4. Qu'est-ce que c'est?

C'est un jouet.

Combien de jouets y a-t-il?

Il y en a **12, 13, 14, 15, 16, 17**

un nounours

5. Qu'est-ce que c'est?

C'est un nounours.

Combien de nounours y a-t-il?

Il y en a **12, 13, 14, 15, 16, 17**

Réponds aux questions

le livre	la poupée	le ballon	le nounours	le jouet

Exemple: Combien de jeux y a-t-il?

Il y en a quatre. ....

1.   Combien de poupées y a-t-il?

....

2.   Combien de ballons y a-t-il?

....

3.   Combien de nounours y a-t-il?

....

4.   Combien de livres y a-t-il?

....

Cherche les bonnes images

Look for the correct pictures

le livre	la poupée	le ballon	le nounours	le jouet

a	b	c	d

	a	b	c	d
1				
2				

le nounours ✿	(un)	deux	(a)	b	c	d
le ballon ✺	un	deux	a	b	c	d
le jeu ✸	un	deux	a	b	c	d
la poupée ✳	un	deux	a	b	c	d
le ballon ✡	un	deux	a	b	c	d
la poupée ☯	un	deux	a	b	c	d
le ballon ❄	un	deux	a	b	c	d

Parlons de moi

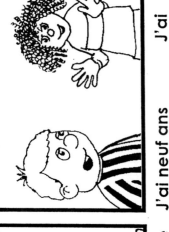

Je m'appelle Je m'appelle
Daniel. Anne.

Je voudrais Je voudrais
un hamster. un chien.

J'ai trois soeurs J'ai deux
et un demi-frère. soeurs.

J'ai neuf ans J'ai
et demi. huit ans.

J'habite à J'habite
la Rochelle. à Lille. x 2

Je n'aime pas
le ski.

Je n'aime pas
le rugby.

J'aime le football J'aime
et le golf. le tennis.

Je n'aime pas Je n'aime pas J'aime les
la géographie. les maths.

J'aime l'histoire J'aime les
et le français. sciences.

J'aime l'anglais J'aime les
et la musique. devoirs. x 2

J'aime les devoirs. x 2

Karaoke version track 65   Spoken version track 66

In French the colours come after the noun

la feuille verte

le nuage blanc

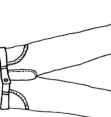
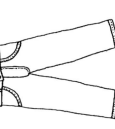

le chardon violet

le soleil jaune

In French the colours come after the noun, after the noun
In French the colours come after the noun, after the noun

The red apple becomes la pomme rouge
The red apple becomes la pomme rouge
The red apple becomes la pomme rouge
Don't forget after the noun

In French the colours come after the noun, after the noun
In French the colours come after the noun, after the noun

The blue jeans become le jean bleu
The blue jeans become le jean bleu
The blue jeans become le jean bleu
Don't forget after the noun

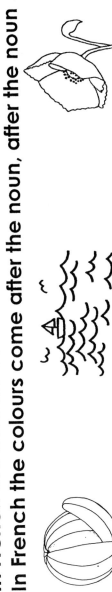

In French the colours come after the noun, after the noun
In French the colours come after the noun, after the noun

le coquelicot rouge

l'orange orange   la mer bleue

l'éléphant gris

le chocolat marron

le pingouin noir

la fleur rose

Page 38 'Je sais parler français' – I know how to speak French.

Get Started	**Introduction to the lesson** This is a revision page of questions and answers in French. Play the question, pause the CD to allow the children to read out the answer. If the children have a rough book, you could play the questions and ask them to jot down the answers in English with one word. eg De quelle couleur est le ballon? Le ballon est rouge et blanc. (red and white)
Pupil's Book	**Answers to pupil's book** The questions and answers are self-explanatory.
38:1 **Whole class activity listening to CD**	**Worksheet 38:1** Listen carefully to the CD track and circle the correct word (**un/une**). Remind the children the difference between masculine and feminine words. If the word is masculine - **un** colour the square **blue** and circle **m** If the word is feminine - **une** colour the square **red** and circle **f**
38:1 **CD Script** 💬	**Worksheet 38:1 CD Script** 1. **un blue m** 2. **un blue m** 3. **une red f** 4. **un blue m** 5. **un blue m** 6. **une red f** 7. **une red f** 8. **une red f** 9. **un blue m** 10. **un blue m** 11. **un blue m**
38:2 **For the more able pupils**	**Worksheet 38:2** This is a crossword revision worksheet. The vocabulary is at the top of the page but without the English translation. Even if the children forget the translation of each French word, they should be able to work out the whole crossword by using logic.
	Worksheet 38:2 Answers 1. → bouche 5. → nez 1. ↓ bras 6. → main 2. ↓ cheveux 7. → pied 3. ↓ oreille 8. → yeux 4. ↓ jambe 9. → tête
38:3 **Relaxing activity for everyone**	**Worksheet 38:3** The children can choose whether to start with the top or bottom game. The teacher throws the dice and calls out the number - that box is coloured in. If a number is shown twice, the player must wait for that number to be called out twice. Those who have coloured in all the boxes are the winners.
	Worksheet 38:3 Answers This game is self explanatory.

Entoure le bon mot et la bonne lettre

Circle **une** or **un** when listening to the CD.
Colour the next box correctly in red or blue and circle the correct letter (masculin and féminin).

Ex: | un (une) | télévision — | rouge | (f) | m

1. | un | une | ballon — f m

2. | un | une | nounours — f m

3. | un | une | poupée — f m

4. | un | une | livre — f m

5. | un | une | pied — f m

6. | un | une | main — f m

7. | un | une | jambe — f m

8. | un | une | tête — f m

9. | un | une | bras — f m

10. | un | une | jouet — f m

11. | un | une | jeu — f m

une (a) words are **feminine** and are coloured **red**.
un (a) words are **masculine** and are coloured **blue**.

38:1

mots-croisés

le **nez** l' **oreille** la **bouche** le **bras** la **bouche** la **tête** la **main** le **pied** les **yeux** les **cheveux**

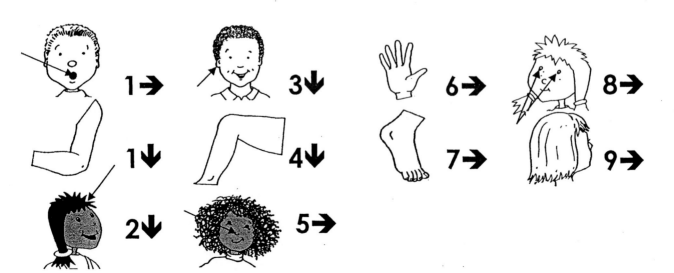

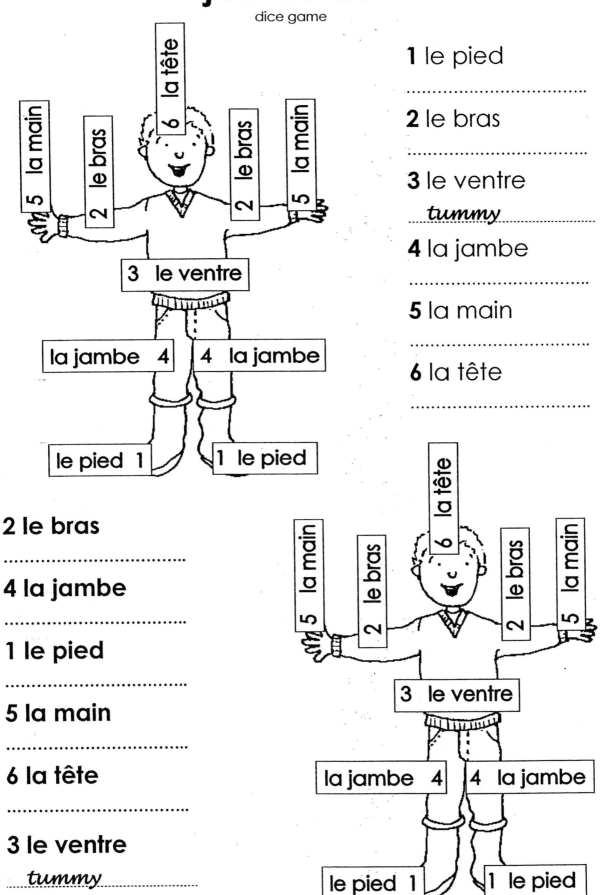

jeu de dé

dice game

1 le pied

....

2 le bras

....

3 le ventre

tummy ....

4 la jambe

....

5 la main

....

6 la tête

....

2 le bras

....

4 la jambe

....

1 le pied

....

5 la main

....

6 la tête

....

3 le ventre

tummy ....

Page 39 'les révisions' – revision

39:1 Whole class activity listening to CD	**Worksheet 39:1** This worksheet revises hobbies, likes and dislikes. Before handing out the sheets, it would be a good idea to go though the two likes: ✓J'aime ✓✓J'adore two dislikes: ✗Je n'aime pas ✗✗Je déteste as well as the 10 hobbies or interests. Listen to the CD – circle the correct box next to each picture when you hear whether the speaker likes, loves, dislikes or hates that particular hobby/interest.

39:1 CD Script 	**Worksheet 39:1** CD Script ✓✓ J'adore le skate ✓ J'aime la lecture ✗✗ Je déteste la cuisine ✗ Je n'aime pas la télévision ✓✓ J'adore les jeux vidéo ✗ Je n'aime pas l'équitation ✓ J'aime le ski ✗ Je n'aime pas la natation ✗✗ Je déteste le tennis ✗ Je n'aime pas le football

39:2 **loto** (4 games)	**Worksheet 39:2** *The teacher will need a game sheet as well.* There are four lotto games on this sheet. All the pictures revise the vocabulary learnt so far. Play the top game first. Ask the children to circle any five parts of the body. The teacher reads out the parts of the body at random and crosses them off as they are read out. The winner is the child who has circled the last part of the body to be called out.

39:3 **word search**	**Worksheet 39:3** This word search revises ten vocabulary words. Look for the main word only and don't include the words **le**, **la** and **l'**. Make sure the words are crossed out or filled in neatly. There is a tendency with word searches to rush and scribble. This word search does not include diagonals.

39:4 Assessment	**Worksheet 39:4** This is a simple test to revise the French that has been covered in the last eight chapters. The answers are found on page **39 :5** and the total is out of 33. If a child gets full marks 99% the extra mark needed for 100% can be given for neat presentation.

Écoute et entoure la bonne réponse

J'aime ✓	J'adore ✓✓	Je n'aime pas ✗	Je déteste ✗✗	
I like	I love	I don't like	I hate	
le tennis	la natation	l'équitation	le skate	la cuisine
tennis	swimming	horse riding	skate boarding	cooking
la télévision	le football	les jeux vidéo	le ski	la lecture
television	football	video games	ski ing	reading

loto

Mon nom ....

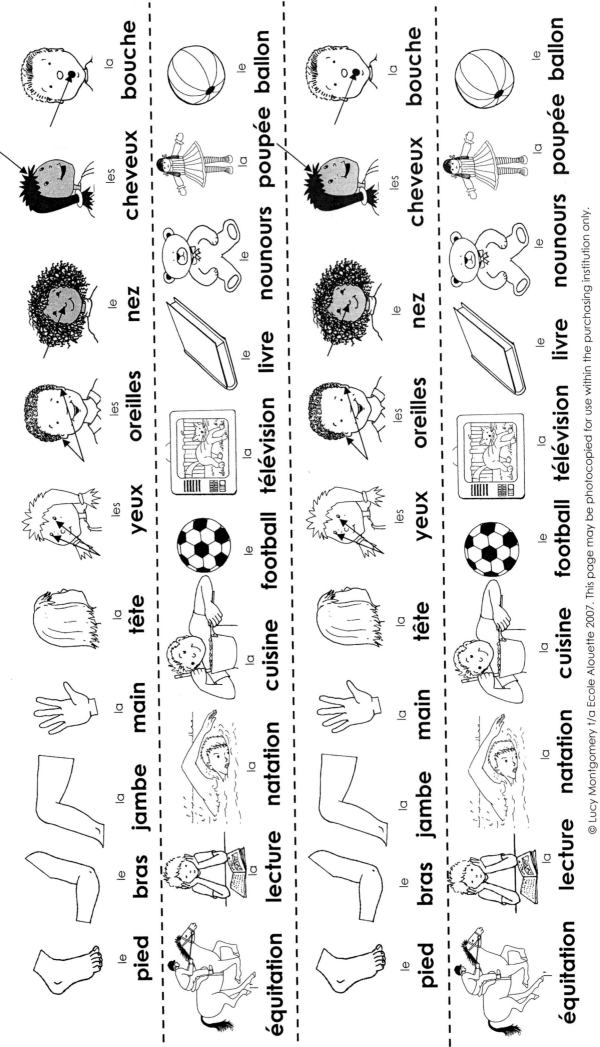

le pied   le bras   la jambe   la main   la tête   les yeux   les oreilles   le nez   les cheveux   la bouche

équitation   lecture   natation   cuisine   football   télévision   livre   nounours   poupée   le ballon

le pied   le bras   la jambe   la main   la tête   les yeux   les oreilles   le nez   les cheveux   la bouche

équitation   lecture   natation   cuisine   football   télévision   livre   nounours   poupée   le ballon

mots mêlés
wordsearch

c	u	i	s	i	n	e	g	é
t	n	k	l	y	m	b	n	q
é	o	z	i	s	t	a	a	u
l	u	w	v	n	y	l	t	i
é	n	k	r	d	k	l	a	t
v	o	h	e	v	j	o	t	a
i	u	t	y	z	d	n	i	t
s	r	j	o	u	e	t	o	i
i	s	f	g	h	y	w	n	o
o	p	o	u	p	é	e	o	n
n	l	e	c	t	u	r	e	q

l'
équitation

la
lecture

la
cuisine

la
natation

la
télévision

le
nounours

la
poupée

le
ballon

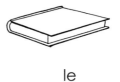
le
livre

le
jouet

Bilan
Assessment

Total marks out of **33** ☐ **%** ☐
Extra mark for neatness.

1. Write the correct number next to the English words. ☐ **10**

1	le livre	7	le nounours		reading		leg
2	la lecture	8	le pied		ball		eyes
3	la jambe	9	la natation		hair		teddy
4	la cuisine	10	les cheveux		cooking		book
5	les yeux	11	le ballon		foot		swimming

2. What is the French words for '**of**', '**and**' and '**it's**'. ☐ **3**

....

3. Translate the following sentences into English. ☐ **3**

Qu'est-ce que c'est? ....

C'est un ballon marron. ....

Est-ce que tu aimes la lecture? ....

4. Read the sentences and write the correct symbols. ☐ **12**

✓ meaning 'I like'   ✓✓ 'I love'   ✗ 'I don't like'   ✗✗ 'I hate'

☐	J'aime la natation.	☐	J'aime la télévision.
☐	Je déteste la lecture.	☐	J'adore la cuisine.
☐	Je n'aime pas la cuisine.	☐	J'aime le football.
☐	J'adore le football.	☐	Je n'aime pas le tennis.
☐	Je n'aime pas la télévision.	☐	Je n'aime la lecture.
☐	J'aime le tennis.	☐	Je déteste la natation.

5. Write the number of each word found on the map of France against what it is in English. ☐ **5**

1	Paris		river
2	les Alpes		Capital city
3	Normandie		town
4	la Loire		region of France
5	Bordeaux		range of mountains

Bilan
Assessment

Total marks out of **33** [ ] **%** [ ]
Extra mark for neatness.

1. Write the correct number next to the English words. [ ] **10**

1	le livre	6	le nounours	2	reading	3	leg
2	la lecture	7	le pied	10	ball	5	eyes
3	la jambe	8	la natation	9	hair	6	teddy
4	la cuisine	9	les cheveux	4	cooking	1	book
5	les yeux	10	le ballon	7	foot	8	swimming

2. What is the French words for 'of', 'and' and 'it's'. [ ] **3**

de   **et**   **c'est**

3. Translate the following sentences into English. [ ] **3**

Qu'est-ce que c'est?   **What is it?**
C'est un ballon marron.   **It's a brown ball.**
Est-ce que tu aimes la lecture? **Do you like reading?**

4. Read the sentences and write the correct symbols. [ ] **12**

✓ meaning 'I like'   ✓✓ 'I love'   ✗ 'I don't like'   ✗✗ 'I hate'

✓	J'aime la natation.	✓	J'aime la télévision.
✗✗	Je déteste la lecture.	✓✓	J'adore la cuisine.
✗	Je n'aime pas la cuisine.	✓	J'aime le football.
✓✓	J'adore le football.	✗	Je n'aime pas le tennis.
✗	Je n'aime pas la télévision.	✗	Je n'aime la lecture.
✓	J'aime le tennis.	✗✗	Je déteste la natation.

5. Write the number of each word found on the map of France against what it is in English. [ ] **5**

1	**Paris**	4	river
2	**les Alpes**	1	Capital city
3	**Normandie**	5	town
4	**la Loire**	3	region of France
5	**Bordeaux**	2	range of mountains

Answers to
39:4

Page 40 'la campagne' – the countryside

Get Started	**Introduction to the lesson** Revise the words **Combien de...?** How many? **Il y a** There is/There are **beaucoup de** lots of Remember that colours come after the word they describe, in French. Colours describing a plural word end in **'s'** except **marron** & **orange**.
Pupil's Book	**Answers to pupil's book** 1. Il y a beaucoup de papillons roses. 2. Il y a beaucoup de fleurs jaunes. 3. Il y a beaucoup d'arbres verts.
40:1 Whole class activity listening to CD	**Worksheet 40:1** Listen carefully to the CD track and circle the correct colour. Remind the children that there are sometimes differences between masculine and feminine colours, in French.

Worksheet 40:1 CD Script

La fleur est **violette**.	f	Le nounours est **marron**.	m
Le papillon est **rose**.	m	Le ballon est **jaune**.	m
La rivière est **bleue**.	f	La poupée est **rose**.	f
Le mouton est **blanc**.	m	Le crayon est **rouge**.	m
Le pont est **gris**.	m	La trousse est **orange**.	f
Le livre est **vert**.	m	La chemise est **verte**.	f

40:2 For the more able pupils	**Worksheet 40:2** This is a counting/number worksheet. Answer the questions by counting accurately. Each answer starts with **Il y en a ...**

Worksheet 40:2 Answers
1. Il y en a sept.
2. Il y en a cinq.
3. Il y en a six.
4. Il y en a une. (Rivière is feminine so the French for **one** (1) must be feminine)
5. Il y en a deux.

40:3 Relaxing activity for everyone	**Worksheet 40:3** This is a traditional game of battle ships. The teacher also needs a game to remember which squares he has called out. Ask the children to put a cross in any five different squares in the top grid. The teacher calls out the co-ordinates of each square one by one (remembering to cross them off as he calls them out.) If a child has a cross in one such square , he has to destroy the square. The winner is the one who has a cross in the very last square.

Worksheet 40:3 Answers

This game is self-explanatory.

✎ **Mon nom** ....

Écris le ou la et entoure m ou f

Write le or la and circle m or f

.... fleur est violette. | m | | f |

.... papillon est rose. | m | | f |

.... rivière est bleue. | m | | f |

.... mouton est blanc. | m | | f |

.... pont est gris. | m | | f |

.... livre est vert. | m | | f |

.... nounours est marron. | m | | f |

.... ballon est jaune. | m | | f |

.... poupée est rose. | m | | f |

.... crayon est rouge. | m | | f |

.... trousse est orange. | m | | f |

.... chemise est verte. | m | | f |

Réponds aux questions

Ex. Combien de moutons y a-t-il?

Il y en a seize.

1. Combien de fleurs y a-t-il?

....

2. Combien d'arbres y a-t-il?

....

3. Combien de papillons y a-t-il?

....

4. Combien de rivières y a-t-il?

....

5. Combien de vaches y a-t-il?

....

Vocabulaire

Combien de ...y a-t-il?
How many   ... are there?

Il y en a ....
There are ....

---

bataille navale

battle ships

	e	f	g	h
5				
6				
7				
8				

	e	f	g	h
5				
6				
7				
8				

Page 41 'la campagne' (ii) – the countryside

Get Started	**Introduction to the lesson**

Revise the words **Combien de...?**   How many?
                 Il y a   There is/There are
                 beaucoup de   lots of
Remember that colours come after the word they describe, in French.
Colours describing a plural word end in 's' except **marron** & **orange**.
NB You do not need to add an extra 's' for gris

Pupil's Book	**Answers to pupil's book**

1. Il y a beaucoup de taupes noires.
2. Il y a beaucoup de hérissons marron.
3. Il y a beaucoup de souris blanches.

41:1 Whole class activity listening to CD	**Worksheet 41:1**

Listen carefully to the CD track and circle the correct number.

Qu'est-ce que c'est?   What is it?
C'est un/une ...   It's a ....

41:1 CD Script	**Worksheet 41:1** CD Script

Ex: Il y en a **seize**.   16
1.   Il y en a **vingt**.   20
2.   Il y en a **dix-huit**.   18
3.   Il y en a **quinze**.   15
4.   Il y en a **dix-sept**.   17
5.   Il y en a **dix-neuf**.   19

41:2 For the more able pupils	**Worksheet 41:2**

This is a translation exercise.
All the vocabulary needed to complete the worksheet is shown at the top of the page, however, the English has not been included.

Worksheet 41:2 Answers

1. Il y a beaucoup de papillons.
2. Il y a beaucoup de rivières.
3. Il y a beaucoup de moutons.
4. Il y a beaucoup de ponts.
5. Il y a beaucoup de livres.
6. Il y a beaucoup de nounours.
7. Il y a beaucoup de ballons.
8. Il y a beaucoup de poupées.
9. Il y a beaucoup de crayons.
10. Il y a beaucoup de trousses.
11. Il y a beaucoup de gommes

41:3 Relaxing activity for everyone	**Worksheet 41:3**

This is a revision worksheet.
The English for each French word has not been included so it could be slightly difficult.

Worksheet 41:3 Answers

1. mouse	2. mole	3. butterfly	4. bee	5. spider
6. cow	7. hare	8. rabbit	9. flower	10. sheep
11. tree	12. fox	13. hedgehog	14. sun	15. moon

Entoure le bon numéro

une souris	un papillon	un *arbre*	une fleur	un oiseau	une abeille

un *arbre*

Ex: Qu'est-ce que c'est?

C'est un *arbre.*

Combien d'arbres y a-t-il?

Il y en a **15, (16) 17, 18, 19, 20**

un papillon

1. Qu'est-ce que c'est?

C'est un papillon.

Combien de papillons y a-t-il?

Il y en a **15, 16, 17, 18, 19, 20**

une fleur

2. Qu'est-ce que c'est?

C'est une fleur.

Combien de fleurs y a-t-il?

Il y en a **15, 16, 17, 18, 19, 20**

une souris

3. Qu'est-ce que c'est?

C'est une souris.

Combien de souris y a-t-il?

Il y en a **15, 16, 17, 18, 19, 20**

un oiseau

4. Qu'est-ce que c'est?

C'est un oiseau.

Combien d'oiseaux y a-t-il?

Il y en a **15, 16, 17, 18, 19, 20**

une abeille

5. Qu'est-ce que c'est?

C'est une abeille.

Combien d'abeilles y a-t-il?

Il y en a **15, 16, 17, 18, 19, 20**

Traduis en français

Translate into French

le ballon	la gomme	le nounours	la poupée
le crayon	le livre	le papillon	la rivière
la *fleur*	le mouton	le pont	la trousse

There are lots of flowers.
Il y a beaucoup de fleurs.

There are lots of butterflies.

There are lots of rivers.

There are lots of sheep.

There are lots of bridges.

There are lots of books.

There are lots of teddies.

There are lots of balls.

There are lots of dolls.

There are lots of pencils.

There are lots of pencil-cases.

There are lots of rubbers.

Mon nom ....

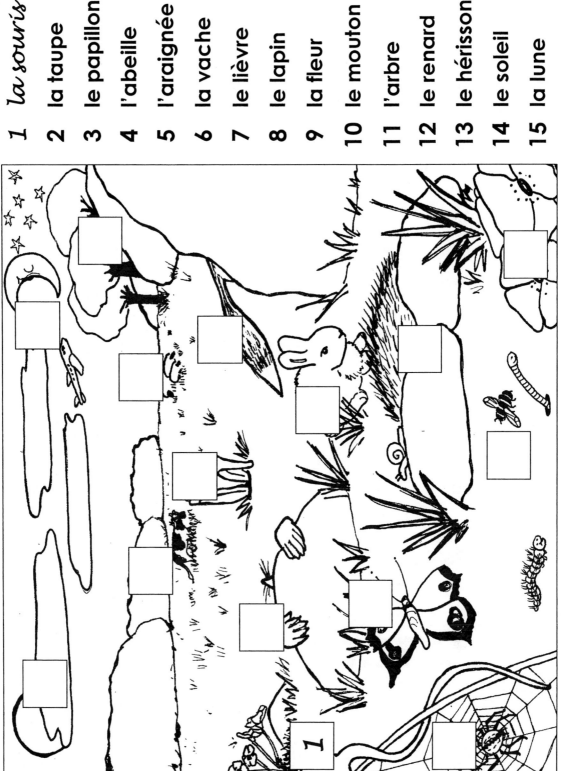

Mon nom ....

Écris les numéros dans les cases

1 *la souris*
2 la taupe
3 le papillon
4 l'abeille
5 l'araignée
6 la vache
7 le lièvre
8 le lapin
9 la fleur
10 le mouton
11 l'arbre
12 le renard
13 le hérisson
14 le soleil
15 la lune

Words that end in eau

Here's a song to help you learn
the words that end in **eau**
words that end in **eau**
are always pronounced '**o**'

bateau

gâteau

château

chapeau

cadeau

oiseau

seau d'eau

Page 43 'la plage' – the beach

Get Started	**Introduction to the lesson**
	Teach the children that plural of French words ending in **eau** is **eaux**. eg

le seau   the bucket   les seaux   the bucket**s**
le bateau   the boat   les bateaux   the boat**s**

Remind the children that the plural of **the** is always **les**.
la pelle   the spade   **les** pelles   the spades

Pupil's Book	**Answers to pupil's book**
	This page is self-explanatory.

43:1 Whole class activity listening to CD	**Worksheet 43:1**
	Listen carefully to the CD track and circle the correct answer.

Est-ce que tu aimes....?   Do you like ...?

Oui, j'aime   Yes, I like   Non, je n'aime pas   No, I don't like
Oui, j'adore   Yes, I love   Non, je déteste   No, I hate

43:1 CD Script

Worksheet 43:1 CD Script

Ex:	Oui, **j'adore**	les papillons.
1.	Non, **je n'aime pas**	les souris.
2.	Non, **je déteste**	les araignées.
3.	Oui, **j'aime**	les oiseaux.
4.	Oui, **j'adore**	les arbres.
5.	Oui, **j'aime**	les fleurs.
6.	Non, **je n'aime pas**	les abeilles.

43:2 For the more able pupils	**Worksheet 43:2**
	This is a translation exercise. Although the vocabulary has not been given, it should possible to work out what is what by a process of elimination.

Worksheet 43:2 Answers

f The sun is yellow.	**a** The bucket is green.
c The sea is blue.	**e** The crab is pink.
b The spade is red.	**g** The ball is purple.
d The seagull is white.	**h** The hat is orange.

43:3 Relaxing activity for everyone	**Worksheet 43:3**
	This worksheet is a treasure map.

Worksheet 43:3 Answers

Draw a grey seagull.	L	
Draw a yellow sun.	I	
Draw a green boat.	V	**livre** book
Draw a red ball.	R	
Draw a blue spade.	E	

Écoute et entoure la bonne réponse

Listen to the CD and circle the correct reply.

les arbres	les araignées	les souris	les papillons	les fleurs	les abeilles	les oiseaux

Ex: Est-ce que tu aimes les papillons?

Oui, j'aime les papillons.	Oui, j'adore les papillons.	Non, je n'aime pas les papillons.	Non, je déteste les papillons.

1. Est-ce que tu aimes les souris?

Oui, j'aime les souris.	Oui, j'adore les souris.	Non, je n'aime pas les souris.	Non, je déteste les souris.

2. Est-ce que tu aimes les araignées?

Oui, j'aime les araignées.	Oui, j'adore les araignées.	Non, je n'aime pas les araignées.	Non, je déteste les araignées.

3. Est-ce que tu aimes les oiseaux?

Oui, j'aime les oiseaux.	Oui, j'adore les oiseaux.	Non, je n'aime pas les oiseaux.	Non, je déteste les oiseaux.

4. Est-ce que tu aimes les arbres?

Oui, j'aime les arbres.	Oui, j'adore les arbres.	Non, je n'aime pas les arbres.	Non, je déteste les arbres.

5. Est-ce que tu aimes les fleurs?

Oui, j'aime les fleurs.	Oui, j'adore les fleurs.	Non, je n'aime pas les fleurs.	Non, je déteste les fleurs.

6. Est-ce que tu aimes les abeilles?

Oui, j'aime les abeilles.	Oui, j'adore les abeilles.	Non, je n'aime pas les abeilles.	Non, je déteste les abeilles.

Trouve, colorie et traduis en anglais

Find and colour the picture and translate into English

	Le soleil est jaune.	....
	La mer est bleue.	....
Ex	**Le coquillage** est rose.	*The shell is pink.*
	La pelle est rouge.	....
	La mouette est blanche.	....
	Le seau est vert.	....
	Le crabe est rose.	....
	Le ballon est violet.	....
	Le chapeau est orange.	....

Course au trésor

Draw in the correct squares and write each square's letter in the small boxes.
The letters make a hidden word.

	un	deux	trois	quatre	cinq
●	U	T	Y	W	E
■	R	B	C	T	Q
♦	L	P	F	V	X
○	W	I	Y	S	K
□	Q	W	L	H	U

□ **trois**   Dessine **une mouette** grise.   □
Draw

○ **deux**   Dessine **un soleil** jaune.   □

♦ **quatre**   Dessine **un bateau** vert.   □

■ **un**   Dessine **un ballon** rouge.   □

● **cinq**   Dessine **une pelle** bleue.   □

le mot caché __ __ __ __ __

Page 44 'le transport' – transport

Get Started	**Introduction to the lesson** Revise with the children the difference between **un** and **une**. **un** is masculine and can be translated as **a or one**. **une** is feminine and can also be translated as **a or one**. une pomme, deux pommes, trois pommes one apple, two apples, three apples J'ai une fraise. I have a strawberry.
Pupil's Book	**Answers to pupil's book** un avion bleu un vélo rouge un bus jaune un train violet une voiture rouge
44:1 Whole class activity listening to CD	**Worksheet 44:1** Listen carefully to the CD track and write the correct number next to each sentence that is read out. Où vas-tu? Where are you going? Je vais **à** (for a town) … I'm going to … **en** (most countries)… I'm going to …
44:1 CD Script 	**Worksheet 44:1 CD Script** 1. Je vais en France en train. 5. Je vais en France en vélo. 2. Je vais en France en bus. 6. Je vais en France en voiture. 3. Je vais en France en tracteur! 7. Je vais en France en ferry. 4. Je vais en France en avion. 8. Je vais en France en bateau.
44:2 For the more able pupils	**Worksheet 44:2** This exercise checks that the children have understood the difference between masculine and feminine colours.
	Worksheet 44:2 Answers Le train est bleu. Le bus est rouge. Le ferry est blanc. Le vélo est jaune. La voiture est violette. (f) Le tracteur est vert. Le bateau est vert. Le camion est bleu. L'avion est orange. La moto est noire. (f) Le car est rose.
44:3 Relaxing activity for everyone	**Worksheet 44:3** This is a geography worksheet with a little writing.
	Worksheet 44:3 Answers J'habite à **Moscou** J'habite à **Pise** J'habite à **New York** (St Basil's Cathedral) (Leaning Tower of Pisa) (The statue of Liberty) Russia Italy The United States J'habite à **Paris** J'habite à **Copenhague**. J'habite à **Londres**. (The Eiffel Tower) (Statue of the Little Mermaid) (Big Ben) France Denmark The United Kingdom

Écoute et écris le bon numéro

Je vais en France en...

I'm going to France by ...

voiture	avion	vélo	ferry	bateau	tracteur	bus	train

Où vas-tu?

Je vais en France en vélo.

Où vas-tu?

Je vais en France en bus.

Où vas-tu?

Je vais en France en voiture.

Où vas-tu?

Je vais en France en train.

1

Où vas-tu?

Je vais en France en tracteur!

Où vas-tu?

Je vais en France en bateau.

Où vas-tu?

Je vais en France en ferry.

Où vas-tu?

Je vais en France en avion.

Écris la bonne couleur

Write the correct colour making sure the feminine version goes with feminine words.

violet/violette	rose/rose	bleu/bleue
blanc/blanche	orange/orange	vert/verte
noir/noire	rouge/rouge	jaune/jaune

 Le train est   *bleu.* _____

 Le ferry est   ....

 La voiture est   ....

 Le bateau est   ....

 L'avion (m) est   ....

 Le bus est   ....

 Le vélo est   ....

 Le tracteur est    ....

 **Le** camion est    ....

 La moto est   ....

 Le car est   ....

Où habites-tu?

J'habite à **New York**	J'habite à **Paris**	J'habite à **Londres**	J'habite à **Copenhague**	J'habite à **Moscou**	J'habite à **Pise**

J'habite à   J'habite à   J'habite à

....

J'habite à   J'habite à   J'habite à

....

Page 45 'l'Histoire' – History

Get Started	**Introduction to the lesson** Remind the children that each country is shaped by its history. Much of French history is linked to England. For hundred of years France and England fought each other. It is only within the last 100 years that they have become allies.
Pupil's Book	**Answers to pupil's book** This page is self explanatory
45:1 **Whole class activity listening to CD**	**Worksheet 45:1** Listen carefully to the CD track and write the correct number in the stars as each historical moment is mentioned. Check the children know what the pictures represent.

45:1 **CD Script** 	**Worksheet 45:1 CD Script**

Numéro deux	Jeanne d'Arc	(1412 – 1413)
Numéro cinq	la première guerre mondiale	(1914 – 1918)
Numéro trois	la prise de la Bastille	(le 14 juillet 1789)
Numéro un	Napoléon Bonaparte	(1769 – 1821)
Numéro quatre	la deuxième guerre mondiale	(1939 – 1945)

45:2 **For the more able pupils**	**Worksheet 45:2** This is an English comprehension worksheet. The aim is to help the children remember some facts about French history. If there is time, they can look up more information on each of the five periods of French history and do a short write up.

Worksheet 45:2 Answers

1. Archduke Franz Ferdinand	2. Belgium	3. 16 years old
4. she was burned at the stake	5. Poland	6. France, Russia & USA
7. a fortified prison in Paris	8. the King	9. 1804
10. the Battle of Waterloo		

45:3 **Relaxing activity for everyone**	**Worksheet 45:3** This worksheet requires observation and memory. See if the children can remember which Paris landmark is which.

Worksheet 45:3 Answers

la première guerre mondiale	15 e	quinze
la deuxième guerre mondiale	12 d	douze
Jeanne d'Arc	14 a	quatorze
Napoléon Bonaparte	13 c	treize
la prise de la Bastille	16 b	seize

l'histoire

Listen to the CD and write each correct number on the dotted line in the star.

la première guerre mondiale   1914 – 1918
mille neuf cent quatorze - mille neuf cent dix-huit

Jeanne d'Arc   1412 - 1431
mille quatre cent douze - mille quatre cent trente et un

la deuxième guerre mondiale   1939 - 1945
mille neuf cent trente-neuf - mille neuf cent quarante-cinq

Napoléon Bonaparte   1769 - 1821
mille sept cent soixante-neuf - mille huit cent vingt et un

la prise de la Bastille   le 14 juillet 1789
le quatorze juillet mille sept cent quatre-vingt neuf

Napoléon Bonaparte
Napoleon Bonaparte

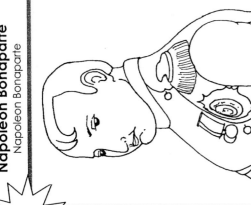

1769 - 1821

la prise de la Bastille
storming of the Bastille

le 14 juillet 1789

la première guerre mondiale
the First World War

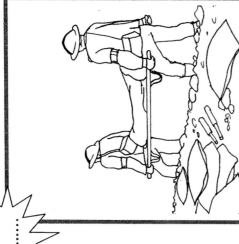

1914 - 1918

Jeanne d'Arc
Joan of Arc

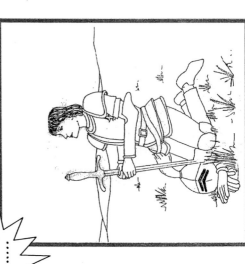

1412 - 1431

la deuxième guerre mondiale
the Second World War

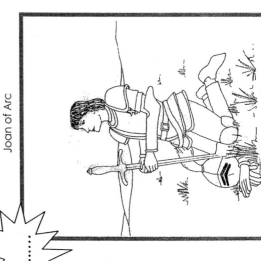

1939 - 1945

Réponds aux questions.

la première guerre mondiale

In 1914 the Austro-Hungarian Archduke Franz Ferdinand was assassinated in Serbia. Austro-Hungary decided to invade Serbia in retaliation but Serbia called on her ally, Russia to help. Russia had a huge army so Austro-Hungary called on Germany for help. France was allied to Russia and when Germany invaded Belgium to attack France, Britain's treaty with neutral Belgium dragged her into the war. The Great War became the killing fields of millions and ended in 1918.

Jeanne d'Arc

A sixteen-year-old French girl hears voices telling her to fight the English army occupying Northern France so that king Charles VII, can be fully anointed as the king of France in Reims Cathedral.
Leading an army, she achieves her incredible aims but is captured by the English and burned at the stake as a heretic in Orléans.

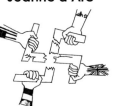

la deuxième guerre mondiale

Hitler became Chancellor in 1933. His vision was to make Germany a strong nation again after its defeat in the First World War. In 1938 he occupied Austria and annexed Czechoslovakia and invaded Poland on 1st September 1939. On 3rd September Britain and France declared war on Germany. Russia and America joined the British and French. Japan and Italy joined Germany. The war ended on 7th May 1945.

le 14 juillet 1789

The King, Louis XV1, held absolute power in France, assisted by the Clergy and the Aristocrats. Unemployment and taxes were high and there was a shortage of bread. Dissatisfaction grew into violence and on 14th July 1989 the rebels took over the huge prison in Paris called the Bastille. Although they only released seven prisoners, the attack was a huge symbolic moment which ended the totalitarian rule of the King and the power of the Church and the Aristocracy.

**Napoléon Bonaparte
1769 - 1821**

In 1804 Napoleon was crowned Emperor of France. In 1805 he planned to attack England but was defeated by Nelson at the Battle of Trafalgar. Napoleon conquered most of Europe and in 1812 he attacked Russia but the terrible Russian winter forced his army to retreat. In 1814 he was captured and sent to the Island of Elba but escaped and returned to France in 1815 where he reigned for 100 days before being defeated by the Duke of Wellington at the Battle of Waterloo.

Answer the questions in English.

1. Who was assassinated in 1918? ....

2. Which neutral country was allied to Britain? ....

3. How old was Joan when she had her vision? ....

4. How did she die? ....

5. Which country did Hitler invade in 1939? ....

6. Name three of Britain's allies? ....

7. What was the Bastille? ....

8. Who held absolute power in France? ....

9. When was he crowned Emperor of France? ....

10. Which final battle defeated Napoleon? ....

⬟ **Mon nom** ....

Trouve les images dans la grille

Find the pictures in the grid

	a	b	c	d	e
12					
13					
14					
15					
16					

Find the history pictures in the grid and write their co-ordinates in the two boxes.
Circle the number used in the co-ordinate.

la première guerre mondiale	☐☐	douze	treize	quatorze	quinze	seize
Jeanne d'Arc	☐☐	douze	treize	quatorze	quinze	seize
Napoléon Bonaparte	☐☐	douze	treize	quatorze	quinze	seize
la deuxième guerre mondiale	☐☐	douze	treize	quatorze	quinze	seize
le 14 juillet 1789	☐☐	douze	treize	quatorze	quinze	seize

Page 46 'mes passe-temps' – my hobbies

Get Started	**Introduction to the lesson** Every day general questions need to be practised. De quelle couleur? Comment tu t'appelles? Combien de? Quel âge as-tu? Ça va? Où habites-tu?
Pupil's Book	**Answers to pupil's book** This page is self explanatory.
46:1 **Whole class activity listening to CD**	**Worksheet 46:1** Listen carefully to the rap on the CD. There is a translation for the rap script at the back of the book. See if the children can perform the rap and with the karaoke version they could add their own words.
46:1 **CD Script**	**Worksheet 46:1** CD Script **Mes passe-temps** My hobbies **J'ai une télé dans ma chambre** I've got a telly in my bedroom. **J'aime les feuilletons.** I like soaps. **J'aime les jeux vidéo et aussi l'internet** I like video games and also the internet **J'écoute/J'aime lire les journaux** I listen/I like reading newspapers **la mode et les CD mais je n'ai pas d'argent** fashion & CDs but I haven't any money **J'aime aller au cinéma avec mes amis** I like going to the cinema with my friends **Je suis fort en/nul en** I'm good at/rubbish at **la planche à voile** windsurfing **Je voudrais faire de la voile/du rugby.** I'd like to go sailing/do rugby . **mais je n'ai pas le temps** but I haven't the time
46:2 **For the more able pupils**	**Worksheet 46:2** Revising the question **"Combien de…?"** and the answer **"Il y en a …"** This exercise is straightforward and should be completed with neat handwriting and accurate counting,
	Worksheet 46:2 Answers 1. Il y en a **dix**. (10) 2. Il y en a **quinze**. (15) 3. Il y en a **huit**. (8) 4. Il y en a **sept**. (7) 5. Il y en a **six**. (6)
46:3 **Relaxing activity for everyone**	**Worksheet 46:3** Reading and colouring. Look at each sentence and colour the appropriate picture correctly.
	Worksheet 46:3 Answers 1. pig pink 3. hen brown 5. shirt yellow 2. cow black and white 4. fish red 6. spider purple

♫ Mes passe-temps

J'ai une télé dans ma chambre.
J'aime les feuilletons.

J'aime les jeux vidéo
et aussi l'internet.

J'écoute de la musique pop.
J'ai une chaîne hi fi*.
*Old fashioned hi fi system

J'aime la mode et les CD
mais je n'ai pas d'argent.

Je voudrais faire de la voile
mais je n'ai pas le temps. x 2

J'aime lire des magazines,
des journaux et des livres.

Je suis fort en gymnastique.

Je suis nul en golf.

J'aime aller au cinéma
avec mes amis.

J'aime faire
de la planche à voile …

… mais je n'ai pas d'argent.

Je voudrais faire du rugby
mais je n'ai pas le temps. x

46:1 🎧 Karaoke version track 69   Spoken version track 70
See page 53 for a translation of this song.

Compte et écris
Count and colour

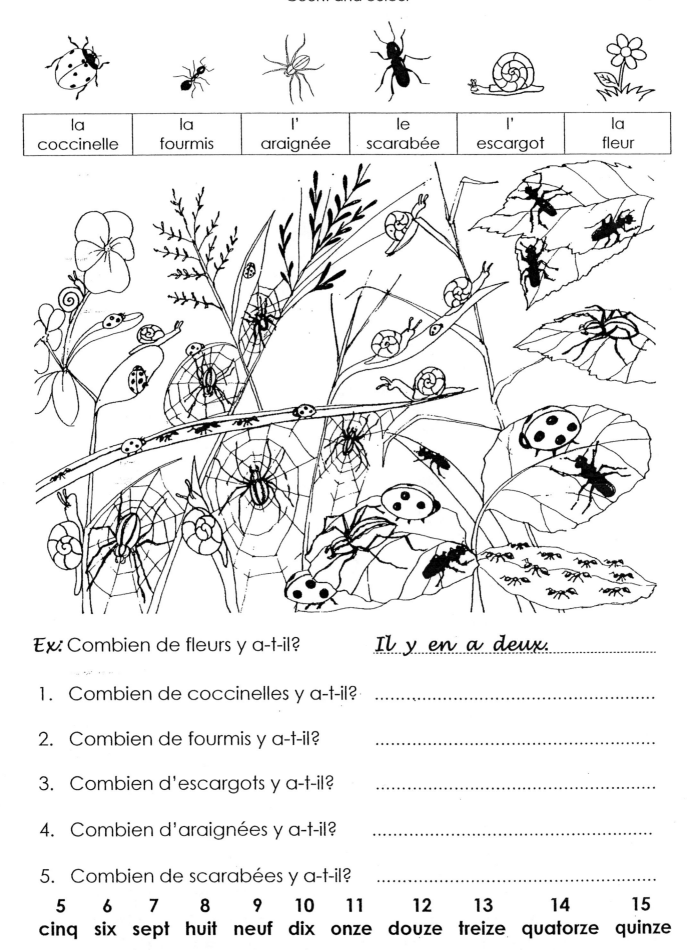

la coccinelle	la fourmis	l' araignée	le scarabée	l' escargot	la fleur

Ex: Combien de fleurs y a-t-il?   *Il y en a deux.*

1. Combien de coccinelles y a-t-il? ....

2. Combien de fourmis y a-t-il?   ....

3. Combien d'escargots y a-t-il?   ....

4. Combien d'araignées y a-t-il?   ....

5. Combien de scarabées y a-t-il?   ....

5	6	7	8	9	10	11	12	13	14	15
cinq	six	sept	huit	neuf	dix	onze	douze	treize	quatorze	quinze

Je sais parler français.

1. De quelle couleur est **le cochon**? Le cochon est **rose**.
   <small>What colour is ...?</small>

2. De quelle couleur est **la vache**? La vache est **noire et blanche**.

3. De quelle couleur est **la poule**? La poule est **marron**.

4. De quelle couleur est **le poisson**? Le poisson est **rouge**.

5. De quelle couleur est **la chemise**? La chemise est **jaune**.

6. De quelle couleur est **l'araignée**? L'araignée est **violette**.

Page 47 'les révisions' – revision

47:1 Whole class activity listening to CD	**Worksheet 47:1** This worksheet revises food and three French words for **some**. Before handing out the sheets, it would be a good idea to go though the vocabulary and revise the pronunciation of the French words **de la, du** and **des**. Listen to the CD – circle the correct French word for 'some' (**de la, du** or **des**) when you hear the speaker read out each sentence.

47:1 CD Script 	**Worksheet 47:1 CD Script** 1. le lait Je voudrais du lait. 2. la confiture Je voudrais de la confiture. 3. les frites Je voudrais des frites. 4. le beurre Je voudrais du beurre. 5. les oeufs Je voudrais des oeufs. 6. le pain Je voudrais du pain. 7. le fromage Je voudrais du fromage. 8. les pâtes Je voudrais des pâtes. 9. le miel Je voudrais du miel. 10. le gâteau Je voudrais du gâteau. 11. la salade Je voudrais de la salade. 12. le chocolat Je voudrais du chocolat.

47:2 loto (4 games)	**Worksheet 47:2** *The teacher will need a game sheet as well.* There are four lotto games on this sheet. All the pictures revise the vocabulary learnt so far. Play the top game first. Ask the children to circle any five forms of transport. The teacher reads out each form of transport at random and crosses them off as they are read out. The winner is the child who has circled the last form of transport to be called out.

47:3 word search	**Worksheet 47:3** This word search revises ten vocabulary words. Look for the main word only and don't include the words **le, la** and **l'**. Make sure the words are crossed out or filled in neatly. There is a tendency with word searches to rush and scribble. This word search does not include diagonals.

47:4 Assessment	**Worksheet 47:4** This is a simple test to revise the French that has been covered in the last eight chapters. The answers are found on page **47:5** and the total is out of 33. If a child gets full marks 99% the extra mark needed for 100% can be given for neat presentation.

Écoute et entoure la bonne réponse

le beurre butter	la confiture jam	le fromage cheese	le lait milk	les oeufs eggs	les pâtes pasta
le chocolat chocolate	les frites chips	le gâteau cake	le miel honey	le pain bread	la salade salad

Take Note
some in French, is written **de la** (feminine words) **du** (masculine words) and **des** (plural words)

Je voudrais
1. | de la | du | des |
lait

Je voudrais
7. | de la | du | des |
fromage

Je voudrais
2. | de la | du | des |
confiture

Je voudrais
8. | de la | du | des |
pâtes

Je voudrais
3. | de la | du | des |
frites

Je voudrais
9. | de la | du | des |
miel

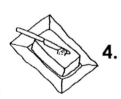
Je voudrais
4. | de la | du | des |
beurre

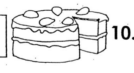
Je voudrais
10. | de la | du | des |
gâteau

Je voudrais
5. | de la | du | des |
oeufs

Je voudrais
11. | de la | du | des |
salade

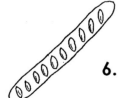
Je voudrais
6. | de la | du | des |
pain

Je voudrais
12. | de la | du | des |
chocolat

loto

Mon nom ....

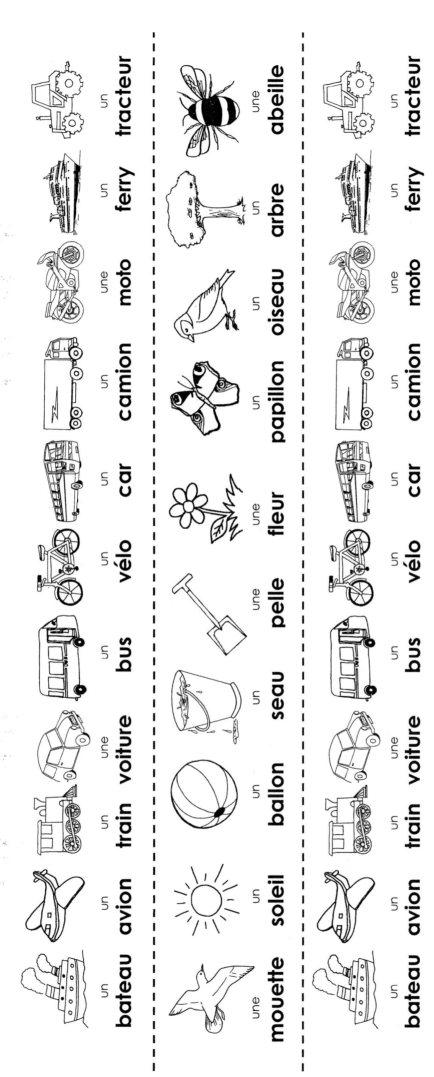

un	un	un	un	un	un	un	une	un	un	une
bateau	avion	train	voiture	bus	vélo	car	camion	moto	ferry	tracteur

une	un	un	un	une	une	un	un	un	un	une
mouette	soleil	ballon	seau	pelle	fleur	oiseau	papillon	arbre	abeille	

47:2

✎ **Mon nom** ....

mots mêlés
wordsearch

s	r	e	n	a	r	d	g	b
a	q	k	h	y	m	p	l	c
r	t	z	é	s	f	o	i	b
o	r	s	r	n	r	v	è	a
t	a	o	i	d	a	é	v	t
a	i	u	s	v	i	l	r	e
u	n	r	s	z	s	o	e	a
p	e	i	o	f	e	x	g	u
e	u	s	n	i	s	s	o	f
j	r	v	c	a	v	i	o	n
m	v	o	i	t	u	r	e	q

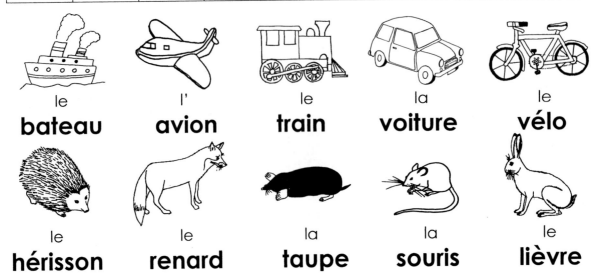

le **bateau**   l' **avion**   le **train**   la **voiture**   le **vélo**

le **hérisson**   le **renard**   la **taupe**   la **souris**   le **lièvre**

Bilan
Assessment

Total marks out of **33** ☐   % ☐
Extra mark for neatness.

1. Write the correct number next to the English words. ☐ **10**

1	le papillon	6	la souris	☐	tree	☐	sun	
2	le soleil	7	l' avion	☐	seagull	☐	car	
3	la voiture	8	la mouette	☐	flower	☐	aeroplane	
4	la mer	9	l' arbre	☐	bridge	☐	butterfly	
5	la fleur	10	le pont	☐	mouse	☐	sea	

2. Write the correct number next to each French word. ☐ **4**

huit .... treize .... quatorze .... seize ....

3. Translate the following sentences into English. ☐ **3**

Il y a ....

beaucoup de ....

Je voudrais ....

4. All these French words begin with **les** and are plural.
   Add the correct plural ending for each word. ☐ **12**
   s   x   or leave blank

1	les bateau	.....	7	les seau	.....
2	les mouette	.....	8	les fleur	.....
3	les train	.....	9	les souris	.....
4	les papillon	.....	10	les renard	.....
5	les bus	.....	11	les oiseau	.....
6	les cadeau	.....	12	les voiture	.....

5. Write the date next to the event which took place in France's history. ☐ **4**

1	la première guerre mondiale the First World War	☐	1412 - 1431
2	Jeanne d'Arc Joan of Arc	☐	1914 - 1918
3	la deuxième guerre mondiale the Second World War	☐	le 14 juillet 1789
4	la prise de la Bastille Storming the Bastille	☐	1939 - 1945

✎ **Mon nom** ....

Bilan
Assessment

Total marks out of **33** ☐ % ☐
Extra mark for neatness.

1. Write the correct number next to the English words. ☐ **10**

1	le papillon	6	la souris	9	tree	2	sun
2	le soleil	7	l' avion	8	seagull	3	car
3	la voiture	8	la mouette	5	flower	7	aeroplane
4	la mer	9	l' arbre	10	bridge	1	butterfly
5	la fleur	10	le pont	6	mouse	4	sea

2. Write the correct number next to each French word. ☐ **4**

huit **8**   treize **13**   quatorze **14**   seize **16**

3. Translate the following sentences into English. ☐ **3**

Il y a   **There is/There are**

beaucoup de   **lots of**

Je voudrais   **I'd like**

4. All these French words begin with **les** and are plural. ☐ **12**
Add the correct plural ending for each word

s   x   or leave blank

1	les bateau	**X**	7	les seau	**X**
2	les mouette	**S**	8	les fleur	**S**
3	les train	**S**	9	les souris	leave it as it is
4	les papillon	**S**	10	les renard	**S**
5	les bus	leave it as it is	11	les oiseau	**X**
6	les cadeau	**X**	12	les voiture	**S**

5. Write the date next to the event which took place in France's history. ☐ **4**

1	la première guerre mondiale the First World War	2	1412 - 1431
2	Jeanne d'Arc Joan of Arc	1	1914 - 1918
3	la deuxième guerre mondiale the Second World War	4	le 14 juillet 1789
4	la prise de la Bastille Storming the Bastille	3	1939 - 1945

Answers to
47:4

Page 48 'chez moi' – at home

Get Started	**Introduction to the lesson**
	Revise with the children the question and answer:
	"**Qu'est-ce que c'est?**" What is it?
	C'est **un** .... It's a .... (masculine)
	C'est **une** .... It's a ....(feminine)

Pupil's Book	**Answers to pupil's book**
	C'est une table jaune.
	C'est une fenêtre blanche.
	C'est une chaise verte.

48:1 Whole class activity listening to CD	**Worksheet 48:1**
	Listen carefully to the CD track and write the correct number next to each French word and its picture.
	Clues as to the meaning of the words have been given.

Worksheet 48:1 CD Script

48:1 CD Script

La pâtisserie	est	l'exemple.	**Le ciel**	est	numéro deux.
Le supermarché	est	numéro sept.	**Le chat**	est	numéro huit.
La pharmacie	est	numéro trois.	**L'arbre**	est	numéro quatre.
Le bureau de tabac	est	numéro neuf.	**La voiture** est		numéro dix.
La boulangerie	est	numéro un.	**Le chien**	est	numéro six.
Le vélo	est	numéro cinq.			

48:2 For the more able pupils	**Worksheet 48:2**
	This is an observation exercise.
	As the French for **house** is **la maison**, all the colours must be feminine.

Worksheet 48:2 Answers

Ex:	La maison	**rose**	a quatre	fenêtres et une porte.
1.	La maison	**blanche** (f)	a trois	fenêtres et une porte.
2.	La maison	**bleue** (f)	a une	fenêtre et une porte.
3.	La maison	**jaune**	a sept	fenêtres et une porte.
4.	La maison	**rouge**	a deux	fenêtres et une porte.
5.	La maison	**verte** (f)	a cinq	fenêtres et une porte.
6.	La maison	**orange**	a trois	fenêtres et une porte.

48:3 Relaxing activity for everyone	**Worksheet 48:3**
	This is a straight forward crossword.
	When writing the answers, leave out the **le** and **la**.

Worksheet 48:3 Answers

1⬇ cheminée	4⬇ volet	7➡ toit
2➡ chaise	5⬇ porte	8➡ table
3⬇ fenêtre	6➡ maison	

Mon nom ....

Écris le bon numéro et traduis en anglais.

Write the correct number and translate into English.

Ex	la pâtisserie	*cake shop* ....
	le supermarché	....
	la pharmacie	....
	le bureau de tabac	*tobacconist* (Where one can buy stamps)
	la boulangerie	....
	le vélo	....
	le ciel	....
	le chat	....
	l'arbre	....
	la voiture	....
	le chien	....

Ex

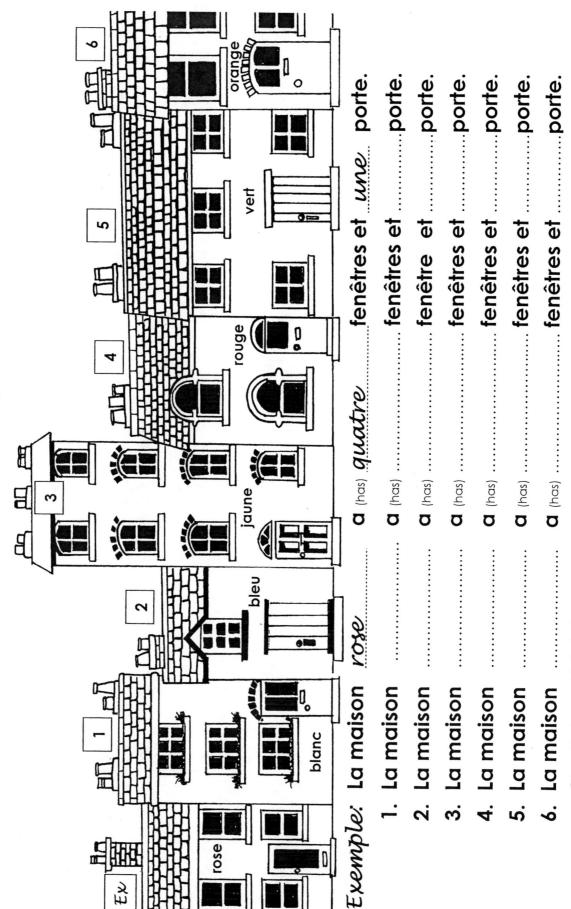

Complète les phrases

Finish the sentences

Mon nom ....

Exemple: La maison *rose* a (has) *quatre* fenêtres et *une* porte.

1. La maison .... a (has) .... fenêtres et .... porte.
2. La maison .... a (has) .... fenêtre et .... porte.
3. La maison .... a (has) .... fenêtres et .... porte.
4. La maison .... a (has) .... fenêtres et .... porte.
5. La maison .... a (has) .... fenêtres et .... porte.
6. La maison .... a (has) .... fenêtres et .... porte.

48:2

mots-croisés

la fenêtre	la chaise	la table	la cheminée	la porte	la maison	le toit	le volet

1↓ 2→ 3↓ 4↓ 5↓ 6→ 7→ 8→

48:3

Page 49 'la famille' – the family

Get Started	## Introduction to the lesson Introduce the question and answer: **Est-ce que tu as des frères et des soeurs?** Have you got any brothers & sisters? **Oui, j'ai un frère/deux frères.** Yes, I have one brother/two brothers. **Non, je n'ai pas de frères/de soeurs.** No, I haven't any brothers/sisters.
Pupil's Book	## Answers to pupil's book 1. Martin est le père de Tom et Laura. 2. Claire est la mère de Tom et Laura. 3. Laura est la soeur de Tom. 4. Tom est le frère de Laura.
49:1 Whole class activity listening to CD	## Worksheet 49:1 Listen to the CD track and write the correct French for **a** (**un** or **une**) on the dotted line. Write the number of the question in the box next to the picture it represents. **NB The pictures have all been jumbled.**
49:1 CD Script 	## Worksheet 49:1 CD Script 1. C'est **une** table (table) 6. C'est **une** chaise (chair) 2. C'est **une** porte (door) 7. C'est **un** bateau (boat) 3. C'est **un** cadeau (present) 8. C'est **un** chapeau (hat) 4. C'est **une** fenêtre (window) 9. C'est **un** château (castle) 5. C'est **un** gâteau (cake) 10. C'est **un** oiseau (bird)
49:2 For the more able pupils	## Worksheet 49:2 This worksheet is self explanatory. ### Worksheet 49:2 Answers Ex: Tom est **le frère de** Manon. 5. Marie est **la mère de** Manon. 1. Manon est **la soeur de** Tom. 6. Tom est le frère **de Manon.** 2. Nicolas est **le père de** Manon. 7. Manon est la soeur **de Tom.** 3. Marie est **la mère de** Tom. 8. Nicolas est le père **de** Tom et Manon. 4. Nicolas est **le père de** Tom. 9. Marie est la mère **de** Tom et Manon.
49:3 Relaxing activity for everyone	## Worksheet 49:3 This is an exercise practising co-ordinates. Read through the list and choose any ball in the grid and colour it according to the given choice of colours. Circle the number and letter of the ball you have coloured in. The red ball has already been chosen as an example. ## Worksheet 49:3 The answers will be different according to which ball and colour have been put together.

Qu'est-ce que c'est? What is it?

Listen to the CD and write **un** or **une** on the dotted lines.
Write the correct question number in the box next to its picture.

1. **Qu'est-ce que c'est?**

   C'est _une_ table.

2. **Qu'est-ce que c'est?**

   C'est .... porte.

3. **Qu'est-ce que c'est?**

   C'est .... cadeau.

4. **Qu'est-ce que c'est?**

   C'est .... fenêtre.

5. **Qu'est-ce que c'est?**

   C'est .... gâteau.

6. **Qu'est-ce que c'est?**

   C'est .... chaise.

7. **Qu'est-ce que c'est?**

   C'est .... bateau.

8. **Qu'est-ce que c'est?**

   C'est .... chapeau.

9. **Qu'est-ce que c'est?**

   C'est .... château

10. **Qu'est-ce que c'est?**

    C'est .... oiseau.

Complète les phrases.

Finish the sentences.

Marie

Nicolas

Tom

Manon

la famille
the family

le père

la mère

le frère

la soeur

Ex: Tom   est   *le frère de* (of)   Manon.

1. Manon est .... Tom.

2. Nicolas est .... Manon.

3. Marie   est .... Tom.

4. Nicolas est .... Tom.

5. Marie   est .... Manon.

6. Tom   est   le frère   de   ....

7. Manon est   la soeur   de   ....

8. Nicolas est   le père   de   ....

                     le père   de   ....

9. Marie   est   la mère   de   ....

                     la mère   de   ....

jeu de dé

dice game

Notre maison

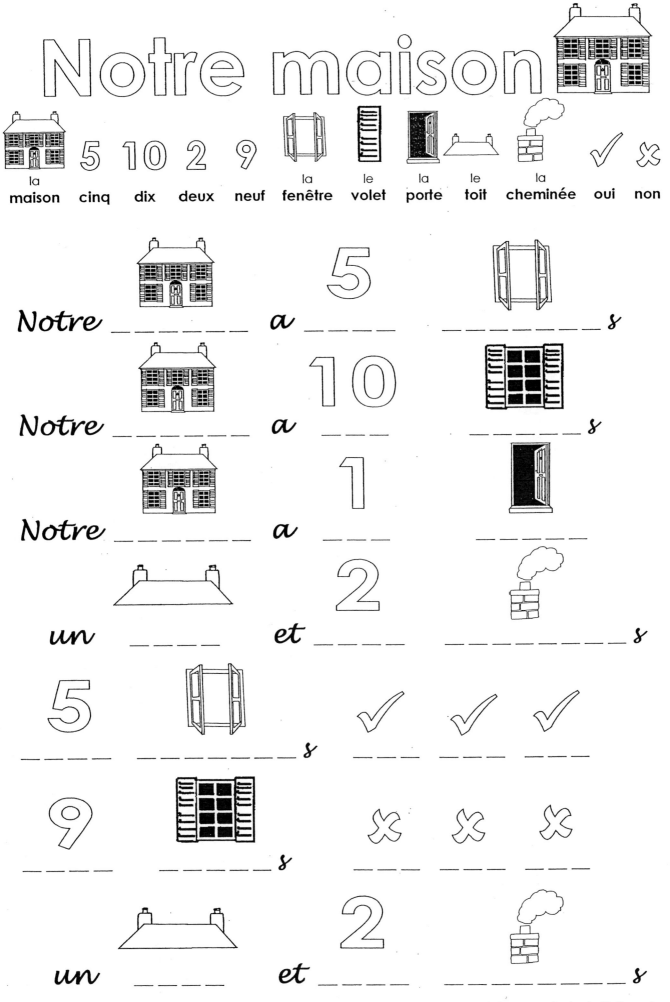

la maison   cinq   dix   deux   neuf   la fenêtre   le volet   la porte   le toit   la cheminée   oui   non

Notre _ _ _ _ _ _ a _ _ _ _ _ _ _ _ _ _ _ _ _ _ s

Notre _ _ _ _ _ _ a _ _ _ _ _ _ _ _ _ _ _ _ _ _ s

Notre _ _ _ _ _ _ a _ _ _ _ _ _ _ _ _ _ _

un _ _ _ _ _ _ _ et _ _ _ _ _ _ _ _ _ _ _ _ _ _ _ s

_ _ _ _ _ _ _ _ _ _ _ _ s _ _ _ _ _ _ _ _ _ _ _

_ _ _ _ _ _ _ _ _ _ _ _ s _ _ _ _ _ _ _ _ _ _ _

un _ _ _ _ _ _ _ et _ _ _ _ _ _ _ _ _ _ _ _ _ _ _ s

Page 51 'J'ai soif.' — I'm thirsty.

Get Started	## Introduction to the lesson New vocabulary for containers of liquid is introduced in this chapter. The little word **de** (of) is very important. It has been used in chapter 49 for Tom is the brother **of** Manon. Tom est le frère **de** Manon.
Pupil's Book	## Answers to pupil's book C'est une tasse de café. C'est une bouteille d'eau. C'est un verre de limonade.
51:1 **Whole class activity listening to CD**	## Worksheet 51:1 Listen to the CD track and find the correct sentence as it is spoken. You will be told which number to write in its associated box. Each sentence will start with the word numéro - number
51:1 **CD Script**	## Worksheet 51:1 CD Script un (1) un verre de limonade six (6) une tasse de café deux (2) un verre d'orangeade sept (7) une bouteille de coca trois (3) une bouteille de limonade huit (8) une canette de limonade quatre(4) une tasse de thé neuf (9) un verre de coca cinq (5) un verre d'eau dix (10) une bouteille d'eau
51:2 **For the more able pupils**	## Worksheet 51:2 This worksheet is a straight forward translation exercise. ## Worksheet 51:2 Answers 1. un verre d'eau 4. une tasse de thé 2. une canette de coca 5. une bouteille de coca 3. une tasse de café 6. un verre de lait
51:3 **Relaxing activity for everyone**	## Worksheet 51:3 This is a revision of vocabulary. Find the French word for each picture and take the first letter of the French word. Write in on the dash provided. Each line of dashes will make up a French word. Translate this word into English at the bottom of the page. No English translation for the French words has been given so the exercise is not easy.

Worksheet 51:3

1. **t a b l e** (table)   4. **f e n e t r e** (table)
2. **c h a i s e** (chair)   5. **m a i s o n** (house)
3. **p o r t e** (door)   6. **f a m i l l e** (family)

🖊 **Mon nom** ....

Écoute bien et écris le bon numéro.

Listen carefully and write the correct number.

☐ **Bonjour Madame**
Je voudrais **une bouteille de limonade** s'il vous plaît.

☐ **Bonjour Madame**
Je voudrais **un verre d'orangeade** s'il vous plaît.

☐ **Bonjour Madame**
Je voudrais **une canette de limonade** s'il vous plaît.

☐ **Bonjour Madame**
Je voudrais **une bouteille d'eau** s'il vous plaît.

☐ **Bonjour Mademoiselle**
Je voudrais **un verre de limonade** s'il vous plaît.

☐ **Bonjour Mademoiselle**
Je voudrais **un verre de coca** s'il vous plaît.

☐ **Bonjour Mademoiselle**
Je voudrais **une tasse de café** s'il vous plaît.

☐ **Bonjour Monsieur**
Je voudrais **un verre d'eau** s'il vous plaît.

☐ **Bonjour Monsieur**
Je voudrais **une bouteille de coca** s'il vous plaît.

☐ **Bonjour Monsieur**
Je voudrais **une tasse de thé** s'il vous plaît.

Traduis et complète les phrases

Translate and complete the sentences

| la bouteille | la canette | l'eau | la limonade | le thé |
| le café | le coca | le lait | la tasse | le verre |

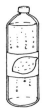

Ex. I'd like a bottle **of** lemonade, please.

Je voudrais une *bouteille de limonade* s'il vous plaît.

1. I'd like a glass of water, please.

Je voudrais .... s'il vous plaît.

2. I'd like a can of coke, please.

Je voudrais .... s'il vous plaît.

3. I'd like a cup of coffee, please.

Je voudrais .... s'il vous plaît.

4. I'd like a cup of tea, please.

Je voudrais .... s'il vous plaît.

5. I'd like a bottle of coke, please.

Je voudrais .... s'il vous plaît.

6. I'd like a glass of milk, please.

Je voudrais .... s'il vous plaît.

Trouve les lettres et écris les mots.

Write the first letter of each French word represented by the pictures.

le vocabulaire		la fraise	le lion	l' orange	la tomate
l' avion	le cochon	le hérisson	le mouton	le renard	l' univers
le ballon	l' escargot	l' igloo	le nounours	le soleil	la vache

1   _t_   _a_   ___   ___   ___

2   ___   ___   ___   ___   ___   ___

3   ___   ___   ___   ___   ___

4   ___   ___   ___   ___   ___   ___   ___

5   ___   ___   ___   ___   ___   ___

6   ___   ___   ___   ___   ___   ___   ___

Traduis les mots en anglais.
Translate the words into English.

1. ....

2. ....

3. ....

4. ....

5. ....

6. ....

Page 52 'la trousse' – the pencil case

Get Started	**Introduction to the lesson** Remind the children that colours need to add an 's' when describing plural words (**marron** and **orange** are the exception – they never change their spelling) Check the children know the difference between '**est**' (is) and '**sont**' (are). eg Le livre **est** vert. The book is green Les livres **sont** vert**s**. The books are green.
Pupil's Book	**Answers to pupil's book** 1. Les gommes sont petites. 4. des stylos bleus 2. Les règles sont longues. 5. des gommes blanches 3. Les crayons sont rouges.
52:1 **Whole class activity listening to CD**	**Worksheet 52:1** Listen to the CD track and circle the correct form of a (**un** or **une**) as you hear it spoken. **un** is masculine **m** **une** is feminine **f**
52:1 **CD Script** 	**Worksheet 52:1 CD Script** 1. **un** stylo m 5. **un** taille-crayon m 2. **un** crayon m 6. **une** brosse f 3. **une** règle f 7. **un** euro m 4. **une** punaise f 8. **un** bonbon m
52:2 **For the more able pupils**	**Worksheet 52:2** Look at the picture and choose the correct French word for each lettered object.
	Worksheet 52:2 Answers **a** la colle **b** le scotch **c** la crayon de couleur **d** les ciseaux **e** la plante **f** la lampe **g** le lit **h** le chien **i** le livre **j** le nounours
52:3 **Relaxing activity for everyone**	**Worksheet 52:3** Spot the ten differences.
	Worksheet 52:3 1. blob of glue 6. bedside table drawer handle 2. writing on paper 7. flower on wall poster 3. girl's tie 8. frill on sheet 4. girl's cuff 9. lamp plug on wall 5. flower head of plant 10. pleats on pelmet

Qu'est-ce que tu as dans ta trousse?

What have you got in your pencil case?

Circle **un (m)** or **une (f)** when listening to the CD and write the number of each sentence next to its picture.

Ex. **Dans ma trousse,** j'ai | un | (une) | gomme.   (f) m

1. **Dans ma trousse,** j'ai | un | une | stylo.   f   m

2. **Dans ma trousse,** j'ai | un | une | crayon.   f   m

3. **Dans ma trousse,** j'ai | un | une | règle.   f   m

4. **Dans ma trousse,** j'ai | un | une | punaise.   f   m

5. **Dans ma trousse,** j'ai | un | une | taille- crayon   f   m

6. **Dans ma trousse,** j'ai | un | une | brosse   f   m

7. **Dans ma trousse,** j'ai | un | une | euro   f   m

8. **Dans ma trousse,** j'ai | un | une | bonbon   f   m

une (a) words are **feminine** (f)
un (a) words are **masculine** (m)

Trouve les mots français

Find the French words

le chien	la colle	la lampe	le livre	la plante
les ciseaux	le crayon de couleur	le lit	le nounours	le scotch®

la colle / glue

a	b	c	d	e	f	g	h	i	j

52:2

✎ **Mon nom** ....

Trouve les dix différences.

Find the ten differences.

Translation of Skoldo Book One songs/raps

3 **Meunier tu dors, ton moulin, va trop vite**
Miller you're asleep your windmill's going too quickly
Meunier tu dors, ton moulin va trop fort
Miller you're asleep your windmill's going too strongly

10 **Bonjour ma cousine**
Good morning/hello cousin (girl)
Mon cousin germain My first cousin (boy)
On m'a dit que vous m'aimiez
I'm told you love me
Est-ce bien la verité? Is it the truth?
Je n'm'en soucie guère I don't really care
Passez par ici et moi par là - au-revoir
You go this way and I'll go that way – good-bye

13 **Joyeux anniversaire** Happy Birthday
Quel âge as-tu? How old are you?
Aujourd'hui, j'ai …ans. Today I'm …

18 **Il était un petit navire** There once was a little ship
Qui n'avait ja ja jamais navigué
Who had ne ne never sailed
Il partit pour un long voyage
It set off on a long journey
Sur la mer Mé Mé Méditerranée
On the Me Me Mediterranean sea
Au bout de cinq à six semaines
At the end of five to six weeks
Les vivres vin vin vinrent à manquer
The suppies began to run out

20 **Il court, il court le furet** He runs, he runs, the ferret
le furet du bois, Mesdames/bois joli
the ferret of the wood, ladies/lovely wood
Il est passé par ici **Il repassera par là**
He's passed this way He will pass that way

23 **Je fais les courses** I'm shopping
Bonjour Monsieur, que désirez-vous?
Good morning, what would you like?
Je voudrais un paquet de chips.
I'd like a packet of crisps.
du fromage, un kilo de pommes
some cheese, a kilo of apples
deux bananes two bananas
Avez-vous de la confiture? Have you got any jam?
Non, je n'en ai pas. No, I haven't got any.
Avez-vous des céréales? Have you any cereal?
Oui voilà et avec ça?
Yes, here you are – anything else?
Je voudrais du jambon. I'd like some ham.
six oranges, des bonbons. des oeufs
six oranges, some sweets, some eggs
des croissants chauds some hot croissants
un pot de miel a pot of honey

27 **Une petite araignée dans la gouttière**
One little spider in the gutter
Soudain il pleut, il pleut 'des cordes'
Suddenly it rains, it rains 'cats and dogs'
Une petite araignée part à tout jamais
One little spider leaves for ever

30 **À table** Mealtime
Il est six/sept heures/midi et demie/demi
It's half past six/seven/twelve (midday)
J'ai faim et j'ai soif I'm hungry & I'm thirsty
Je voudrais une tranche de pain avec..
I'd like a slice of bread with …
du miel/lait froid/jus de fruit, de la glace
some honey, cold milk, fruit juice, ice-cream
un gros sandwich, chaud(e), des frites
a large sandwich, hot, some chips
du coca froid, l'eau, une tasse de thé
some cold coke, water, a cup of tea
gros biftek, du chou-fleur, salade verte
large steak, cauliflower, green salad
des pommes de terre some potatoes
de la viande, un verre de vin
some meat, a glass of wine
une tarte aux pommes, de la crème
an apple pie, some cream

33 **Tête, épaules, genoux et pieds**
Head, shoulders, knees and feet
les yeux, le nez, la bouche, les oreilles
eyes, nose, mouth, ears

36 **Parlons de moi** Lets speak about me
Je m'appelle J'ai … ans (et demi)
I'm called I'm …. (and a half)
J'ai trois soeurs et un demi-frère
I've got three sisters and a step/half brother
Je voudrais un walkman/un chien
I'd like a walkman/dog
J'habite à **J'aime** **Je n'aime pas**
I live in I like I don't like
le français l'histoire l'anglais les devoirs
French history English homework

46 **Mes passe-temps** My hobbies
J'ai une télé dans ma chambre
I've got a telly in my bedroom.
J'aime les feuilletons. I like soaps.
J'aime les jeux vidéo et aussi l'internet
I like video games and also the internet
J'écoute/J'aime lire des journeaux/livres
I listen/I like reading newspapers/books
la mode et les CD mais je n'ai pas d'argent
fashion and CDs but I haven't any money
J'aime aller au cinéma avec mes amis
I like going to the cinema with my friends
Je suis fort en/nul en I'm good at/rubbish at
la planche à voile windsurfing
Je voudrais faire de la voile/du rugby
I'd like to go sailing/do rugby
mais je n'ai pas le temps
but I haven't the time

50 **Notre maison a cinq fenêtres**
Our house has five windows
Dix volets, une porte, 10 shutters, 1 door,
un toit, deux cheminées 1 roof, 2 chimneys
Cinq fenêtres Oui **Neuf volets Non**
Five windows Yes Nine shutters No